TOME 2

CROQUE lignes

Sous la direction
de Jean Émile GOMBERT
professeur de psychologie des apprentissages
à l'université Rennes 2

MÉTHODE DE LECTURE CP

Emmanuelle BONJOUR
maître de conférences en psychologie du développement
à l'université Rennes 2

Fanny DE LA HAYE
maître de conférences en psychologie cognitive
à l'IUFM de Bretagne

Nathalie MAREC-BRETON
maître de conférences en psychologie du développement
à l'IUFM de Bretagne

Nicole MÉNAGER
maître de conférences en linguistique française
à l'université Rennes 2

Françoise PICOT
IEN

Brigitte SENSEVY
conseillère pédagogique

Christine STIEVENARD
professeur des écoles

Le papier de cet ouvrage est composé
de fibres naturelles, renouvelables,
fabriquées à partir de bois
provenant de forêts gérées
de manière responsable.

Sommaire

© Nathan – 25 avenue Pierre de Coubertin, 75013 Paris – 2010.   © Nathan, 2014 pour la présente impression.
ISBN 978-2-09-122032-1

Tome 2

Activités Vocabulaire	Activités Étude de la langue	L'atelier des mots	D'autres textes à découvrir
- Les mots du poster : *La bicyclette* - Les verbes de sens contraire	Reconnaître les pronoms *il, elle, ils, elles*	Des mots qui se terminent par -ette : *une fillette, une camionnette, une clochette*	Une poésie : *Une baleine à bicyclette* de Claude Roy
- Les mots du poster : *Les moyens de transport* - Les verbes de déplacement	Reconnaître les pronoms *je, tu, nous, vous*	Des mots qui commencent par para-, pare- : *un parapluie, un pare-brise*	Une poésie : *La réunion de famille* de Jacques Charpentreau
- Les mots du poster : *Le coin des contes* - Des mots pour qualifier les personnages de contes	Distinguer le masculin et le féminin de l'adjectif	Des mots qui commencent par in-, im-, il- : *invisible, impossible, illisible*	Une poésie : *La vérité, enfin, sur la chèvre de monsieur Seguin* de Jean Rousselot
- Les mots du poster : *Le loup* - Les animaux sauvages - Les adjectifs de sens contraire	Distinguer le singulier et le pluriel des noms (*un chat/des chats*)	Des mots qui se terminent par -ment : *lentement, doucement*	Une poésie : *Le loup vexé* de Claude Roy
Les mots du poster : *Les voyageurs du ciel* Réel ou imaginaire Les expressions du temps qui passe/ du temps qu'il fait	Distinguer le singulier et le pluriel des verbes (*il parle/ils parlent*)	Des mots qui se terminent par -able, -ible : *mangeable, visible*	Des poésies : *Le chat et le soleil* de Maurice Carême *Le rêve de la lune* de Marie Botturi
Les mots du poster : *Explorons l'espace !* Le Soleil Les mots qui se prononcent de la même manière (les homophones)	Distinguer le présent, le passé et le futur	Des mots formés comme : *im-mange-able*	Des chansons : *Comptines pour apprivoiser le Soleil* de Corinne Albaut

Les mots-référents p. 135   Les mots-outils p. 141

Les activités que l'élève peut lire en complète autonomie sont signalées par la consigne « Lis tout seul ».

Les pages de l'histoire ou du documentaire

Tu écoutes ou tu lis chaque épisode de l'histoire ou chaque partie du documentaire.

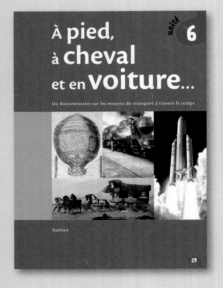

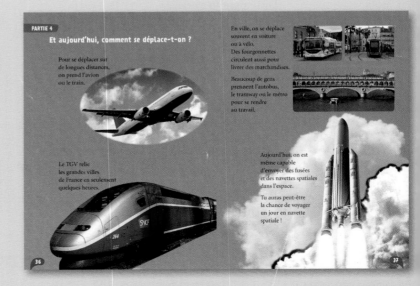

Les pages bleues « Des sons et des lettres »

Tu découvres un nouveau son en écoutant une comptine.

Avec l'enseignant, tu repères, dans des mots, le son étudié.

Tu lis des mots et des phrases : tu peux les lire tout seul !

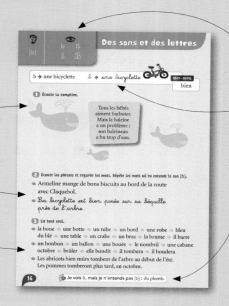

Tu écoutes le son et tu regardes comment il s'écrit.

Un **mot-référent** t'aide à te souvenir de chaque son.

Attention, certaines lettres ne font pas toujours le même son !

Les pages orange « Activités »

Après chaque épisode, **tu réponds** à l'oral à des questions posées par l'enseignant pour mieux comprendre le texte.

Tu lis un texte qui résume l'épisode.

Tu découvres comment fonctionne la langue et tu enrichis ton vocabulaire.

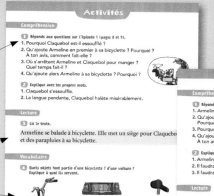

À la fin de l'histoire, tu vérifies que tu as bien compris toute l'histoire et tu donnes ton avis.

La page verte
« L'atelier des mots »

Tu observes et tu comprends
comment sont formés les mots.

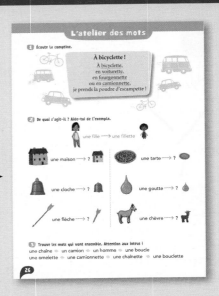

La page bleue
« S'entraîner pour mieux lire »

Tu révises les sons que tu as appris :
tu peux lire des mots, des phrases
et un nouveau texte tout seul !

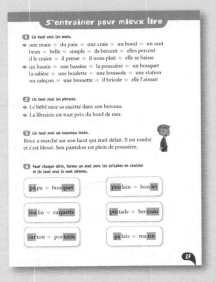

La page
« D'autres textes à découvrir »

Tu écoutes une poésie
ou une chanson sur le thème
de l'unité.
Tu peux ensuite l'apprendre
et la réciter.

Tu découvres
d'autres livres
sur le thème
de l'unité.
Un adulte pourra
te les lire,
mais bientôt,
tu pourras les lire
tout seul !

Armeline Fourchedrue

Une histoire écrite et illustrée
par Quentin Blake

Gallimard

Armeline Fourchedrue
se promenait à bicyclette
avec son chien Claquebol.

Hélas, elle allait un peu vite pour le malheureux Claquebol
qui s'essoufflait à ses côtés. La langue pendante,
il haletait misérablement.
– Ce qu'il faudrait à cette bicyclette, se dit alors Armeline,
c'est quelque chose pour y installer mon fidèle Claquebol.

Armeline et Claquebol s'étaient arrêtés au bord de la route pour manger des sandwichs et des biscuits lorsqu'il se mit à pleuvoir.

– Grand Dieu ! s'exclama alors Armeline, tu sais ce qu'il faudrait à cette bicyclette, Claquebol ? C'est quelque chose pour se protéger de la pluie.

Mais, tandis
qu'elle pédalait
sous la pluie,
Armeline devint
soudain morose.
– Ce qu'il faudrait
à cette bicyclette,
se dit-elle alors,
c'est un peu
de musique
pour nous égayer.

Armeline Fourchedrue
pédalait si vite
et soufflait si fort
dans son harmonica
qu'elle fut bientôt
épuisée.

– Ce qu'il faudrait à cette
bicyclette, se dit-elle alors,
c'est un peu plus de nerf.

Elle repartit ensuite avec
un fort vent arrière et fila
de plus en plus vite.
Elle allait vraiment très vite
lorsque tout à coup…

CRAC !
CLING !! CLANG !!!
BADACLACBOUM !!!!
PLOF !!!!!
POUUEEETTTUUUTTHOOOMPPP !!!!!

– Ce qu'il faudrait à cette bicyclette, dit alors Armeline
en émergeant du tas de débris, c'est l'envoyer à la ferraille.

Quentin Blake, *Armeline Fourchedrue*, trad. de Camille Fabien, © Gallimard.

Si tu as envie de bricoler comme Armeline, voici comment fabriquer un bateau !

- 2 bouteilles en plastique
- 3 petites lattes de bois
- 1 sac en plastique
- 1 bâton en bois de 20 cm
- 1 bouchon de liège
- 1 pinceau
- de la peinture
- de la colle
- 1 paire de ciseaux

1 Remplir les deux bouteilles en plastique avec un peu de peinture. Remuer pour recouvrir les parois.

2 Peindre les trois petites lattes de bois.

3 Coller deux lattes sur les bouteilles.

4 Découper un petit triangle et un grand triangle dans le sac en plastique.

5 Peindre des bandes de couleur sur le grand triangle.

6 Enfoncer le bâton dans le bouchon de liège et coller le bouchon au milieu de la troisième latte de bois.

7 Placer le grand triangle comme sur le dessin. Mettre de la colle le long du bâton et coller le petit triangle.

8 Coller la troisième petite latte de bois entre les deux autres lattes.

Quand la peinture et la colle seront bien sèches, tu pourras observer le bateau flotter sur l'eau !

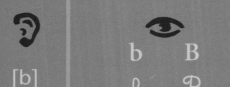
[b]   b   B
      b   B

b ➜ une bicyclette   b ➜ une bicyclette

MOT-OUTIL

bien

1 Écoute la comptine.

Tous les bébés
aiment barboter.
Mais la baleine
a un problème :
son baleineau
a bu trop d'eau.

2 Écoute les phrases et regarde les mots. Répète les mots où tu entends le son [b].

● Armeline mange de bons biscuits au bord de la route
avec Claquebol.

● La bicyclette est bien posée sur sa béquille
près de l'arbre.

3 Lis tout seul.

● la boue ● une botte ● un tube ● un bord ● une robe ● bleu
du blé ● une table ● un crabe ● un bras ● la brume ● il barre

● un bonbon ● un ballon ● une bouée ● le nombril ● une cabane
octobre ● brûler ● elle bondit ● il tombera ● il boudera

● Les abricots bien mûrs tombent de l'arbre au début de l'été.
Les pommes tomberont plus tard, en octobre.

● Je vois b, mais je n'entends pas [b] : du plomb.

Activités

Compréhension

1 Réponds aux questions sur l'épisode 1 (pages 8 et 9).

1. Pourquoi Claquebol est-il essoufflé ?
2. Qu'ajoute Armeline en premier à sa bicyclette ? Pourquoi ? À ton avis, comment fait-elle ?
3. Où s'arrêtent Armeline et Claquebol pour manger ? Quel temps fait-il ?
4. Qu'ajoute alors Armeline à sa bicyclette ? Pourquoi ?

2 Explique avec tes propres mots.

1. Claquebol s'essouffle.
2. La langue pendante, Claquebol halète misérablement.

Lecture

3 Lis le texte.

Armeline se balade à bicyclette. Elle met un siège pour Claquebol et des parapluies à sa bicyclette.

Vocabulaire

4 Quels objets font partie d'une bicyclette ? d'une voiture ? Explique à quoi ils servent.

le guidon

le coffre

la selle

le volant

la sonnette

le porte-bagages

5 Connais-tu d'autres objets qui font partie d'une bicyclette ? et d'une voiture ?

[s]

s S ss   c C ç
s S ss   ç C c

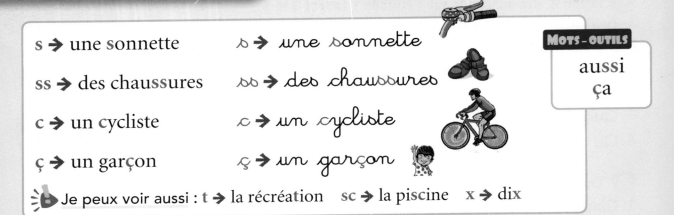

MOTS-OUTILS

aussi
ça

s ➜ une sonnette   s ➜ une sonnette

ss ➜ des chaussures   ss ➜ des chaussures

c ➜ un cycliste   c ➜ un cycliste

ç ➜ un garçon   ç ➜ un garçon

Je peux voir aussi : t ➜ la récréation   sc ➜ la piscine   x ➜ dix

1 Écoute la comptine.

Cent kilomètres à pied,
ça use, ça use.
Cent kilomètres à pied,
ça use les souliers.

2 Écoute les phrases et regarde les mots. Répète les mots où tu entends le son [s].

● Armeline souffle aussi fort qu'elle peut dans son harmonica et ça l'essouffle.

● Ce qu'il manque aussi à cette bicyclette, c'est un parasol pour le soleil.

3 Lis tout seul.

● une tasse ● un cil ● le sol ● la sauce ● la mousse ● une scie un masque ● la classe ● un as ● six ● il tousse ● il cire

● une casserole ● une racine ● une leçon ● un citron ● des souris une potion ● un élastique ● nous traçons ● elle décide

● Il n'y a pas assez de places dans la salle de cinéma.

Je vois s, mais je n'entends pas [s] : la musique – nous.
Je vois c, mais je n'entends pas [s] : un cartable – des crocs.

18

Compréhension

1 **Réponds aux questions sur l'épisode 2 (pages 10 et 11).**

1. Armeline est-elle gaie ou triste ?
2. Qu'ajoute alors Armeline à sa bicyclette ? Pourquoi ? À ton avis, comment fait-elle ?
3. Pourquoi Armeline est-elle épuisée ?
4. Qu'ajoute alors Armeline à sa bicyclette ? Pourquoi ? À ton avis, comment fait-elle ?

2 **Explique avec tes propres mots.**

1. Armeline est morose.
2. Il faudrait un peu de musique pour nous égayer.
3. Il faudrait un peu plus de nerf à sa bicyclette.

Lecture

3 **Lis le texte.**

Armeline souffle très fort dans son harmonica, mais elle est très vite épuisée. Alors elle met une voile à sa bicyclette.

Étude de la langue

4 **Répète les phrases en ajoutant il ou elle devant les verbes.**

 ✶ pleure.   ✶ pédale vite.    ✶ abrite de la pluie.    ✶ roule.

5 **Répète les phrases en remplaçant les mots soulignés par il ou elle.**

1. Armeline joue de l'harmonica.
2. Claquebol écoute la musique.
3. La pluie tombe à grosses gouttes.
4. Le ciel est gris.

Des sons et des lettres

[ɛ] è e ai
      è e ai

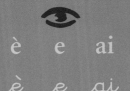

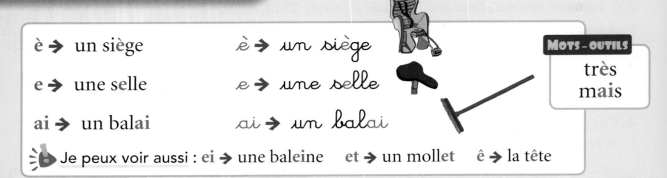

è ➜ un siège	è ➜ un siège	
e ➜ une selle	e ➜ une selle	
ai ➜ un balai	ai ➜ un balai	

MOTS - OUTILS

très
mais

👆 Je peux voir aussi : **ei** ➜ une baleine   **et** ➜ un mollet   **ê** ➜ la tête

---

1 **Écoute la comptine.**

Des baleines dans une rivière,
des guêpes en hélicoptère,
des sorcières sans leur balai,
ça ne se verra jamais !

---

2 **Écoute les phrases et regarde les mots. Répète les mots où tu entends le son [ɛ].**

● La bicyclette d'Armeline est très belle : elle a une chaîne
et une selle verte.

● Mais ce qu'il faudrait à cette bicyclette,
c'est une clarinette, un chasse-neige et des ailes.

---

3 **Lis tout seul.**

● la laine ● la crème ● une plaine ● une aile ● la terre ● la mer
une bête ● la peine ● une reine ● elle bêle ● elle reste ● il aime

● un palais ● la monnaie ● une sorcière ● un paquet ● un modèle
une baleine ● il s'arrêtera ● il prenait ● il respire ● elle la mettait

● Avec une pelle, mon père a retourné la terre derrière la barrière.

👆 Je vois **e**, mais je n'entends pas [ɛ] : un melon – mon amie.
Je vois **ai**, mais je n'entends pas [ɛ] : la faim – demain.

Activités

Compréhension

1 Réponds aux questions sur l'épisode 3 (pages 12 et 13).

1. Armeline a-t-elle choisi la bonne solution pour aller plus vite ? Pourquoi ?

2. Dans quel état est la bicyclette d'Armeline à la fin ?

3. À ton avis, qu'est-ce qui fait « POUUEEETTTUUUTTHOOOMPPP !!!!! » ?

2 Explique avec tes propres mots.

1. Elle repart avec un fort vent arrière.

2. Armeline émerge du tas de débris.

3. Il faut l'envoyer à la ferraille.

Lecture

3 Lis le texte.

Armeline roule de plus en plus vite lorsque tout à coup… CRAC, sa bicyclette se casse ! Elle décide alors de l'envoyer à la ferraille.

Étude de la langue

4 Répète les phrases en ajoutant il, elle, ils ou elles devant les verbes.

⋆ applaudissent.

⋆ les rattrapent.

⋆ prend une photo.   ⋆ sont en tête.

5 Répète les phrases en remplaçant les mots soulignés par ils ou elles.

1. Les chiens ne font pas de bicyclette.

2. Les gouttes de pluie mouillent Armeline et Claquebol.

3. Armeline et sa voisine font de la bicyclette.

4. Armeline et Claquebol se promènent à bicyclette.

Activités

Compréhension

1 **Réponds aux questions sur l'ensemble de l'histoire.**

1. Quels sont tous les accessoires qu'Armeline ajoute à sa bicyclette ?
2. Que veut faire Armeline avec sa bicyclette à la fin de l'histoire ?

2 **Et toi, qu'en penses-tu ?**

1. Est-ce une histoire drôle ou une histoire triste ? Pourquoi ?
2. Que penses-tu des idées d'Armeline ?
3. Qu'aurais-tu ajouté à la bicyclette à la place d'Armeline ?

3 **Vrai ou faux ?**

1. Claquebol est fatigué à force de courir.
2. Quand Armeline et Claquebol mangent au bord de la route, il fait beau.
3. Au début de l'histoire, Claquebol est à l'abri sous un parapluie.
4. Armeline ajoute un moteur à sa bicyclette.
5. À la fin de l'histoire, Armeline gare sa bicyclette chez elle.

4 **Pour chaque image, raconte ce qu'il se passe juste après.**

a.

b.

c.

d.
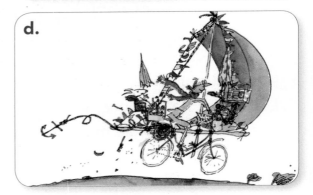

Activités

Drôles de textes ! Dis ce qui te paraît bizarre dans chaque texte.

1

Claquebol ajoute un siège à l'arrière de son vélo pour Armeline, des parapluies pour se protéger de la pluie et de la musique pour rendre leur promenade plus gaie.

2

Armeline ajoute un siège à l'arrière de son vélo pour son chien Claquebol, des parapluies pour se protéger de la pluie et de la musique pour rendre leur promenade plus triste.

3

Armeline ajoute un siège à l'avant de son vélo pour son chien Claquebol, des parapluies pour se protéger de la pluie et de la musique pour rendre leur promenade plus gaie.

[ɛ̃]   in un ain ein
       in un ain ein

---

in ➜ un pinceau   in ➜ un pinceau

un ➜ le lundi   un ➜ le lundi

ain ➜ une main   ain ➜ une main

ein ➜ la peinture   ein ➜ la peinture

MOTS-OUTILS

enfin
demain

Je peux voir aussi : **im** ➜ un timbre   **um** ➜ un parfum   **aim** ➜ la faim

---

1 Écoute la comptine.

Lundi matin,
l'empereur, sa femme et le petit prince
sont venus chez moi pour me serrer la pince.
Comme j'étais parti, le petit prince a dit :
« Puisque c'est ainsi, nous reviendrons… demain ! »

2 Écoute les phrases et regarde les mots. Répète les mots où tu entends le son [ɛ̃].

- Colin a peint le bateau à la main, comme sur le dessin.
- Demain, les marins atteindront enfin l'Inde.

3 Lis tout seul.

- le bain ● un pin ● le train ● une dinde ● les reins ● il peint
- un coussin ● un copain ● des patins ● une ceinture ● un poulain
  impossible ● inconnu ● commun ● elle s'inquiète ● éteindre
- Tous les matins, Martin tartine du beurre sur du pain.

Je vois **in**, mais je n'entends pas [ɛ̃] : la matinée.
Je vois **un**, mais je n'entends pas [ɛ̃] : aucune.
Je vois **ain**, mais je n'entends pas [ɛ̃] : la laine.
Je vois **ein**, mais je n'entends pas [ɛ̃] : pleine.

Activités

Compréhension

1 Réponds aux questions sur la fiche de fabrication.

1. Combien faut-il de lattes de bois pour fabriquer le bateau ?
2. À quoi servent les triangles découpés dans le sac en plastique ?
3. Quels sont les différents éléments qui composent le bateau ?

2 Décris chaque étape illustrée.

a.

b.

c.

d.

Lecture

3 Lis le texte.

Pour fabriquer un bateau, il faut deux bouteilles en plastique, trois lattes de bois, un sac en plastique, un bouchon de liège et un bâton en bois.

Vocabulaire

4 Pour chaque phrase, dis la phrase qui veut dire le contraire.

Il visse.

Elle noue son lacet.

Il colle une image.

5 Pour chaque couple de mots, dis si ce sont des contraires.

1. faire ● défaire
2. penser ● dépenser
3. avancer ● reculer
4. finir ● définir
5. entrer ● sortir
6. ralentir ● accélérer

1 Écoute la comptine.

À bicyclette !

À bicyclette,
en voiturette,
en fourgonnette
ou en camionnette,
je prends la poudre d'escampette !

2 De quoi s'agit-il ? Aide-toi de l'exemple.

une fille ⟶ une fillette

 une maison ⟶ ?

une tarte ⟶ ?

 une cloche ⟶ ?

 une goutte ⟶ ?

une flèche ⟶ ?

une chèvre ⟶ ?

3 Trouve les mots qui vont ensemble. Attention aux intrus !

une chaîne ● un camion ● un homme ● une boucle

une omelette ● une camionnette ● une chaînette ● une bouclette

S'entraîner pour mieux lire

1 Lis tout seul les mots.

- une main ● du pain ● une craie ● un bond ● un saut
  brun ● belle ● simple ● ils bercent ● elles percent
  il le craint ● il presse ● il nous plaît ● elle se baisse
- un bassin ● une bassine ● la poussière ● un bouquet
  la salière ● une boulette ● une boussole ● une station
  un caleçon ● une brouette ● il bricole ● elle l'aimait

2 Lis tout seul les phrases.

- Le bébé suce sa sucette dans son berceau.
- La librairie est tout près du bord de mer.

3 Lis tout seul un nouveau texte.

Brice a marché sur son lacet qui était défait. Il est tombé
et s'est blessé. Son pantalon est plein de poussière.

4 Pour chaque série, forme un mot avec les syllabes en couleur
et lis tout seul le mot obtenu.

pa pa ● bou quet

pou lain ● bou let

ma lin ● ra quette

pin tade ● ber ceau

car ton ● por table

pa lais ● ma tin

Une baleine à bicyclette

Une baleine à bicyclette
rencontre un yak dans un kayak.

Elle fait sonner sa sonnette.
C'est pour que le yak la remarque.

Elle sonne faux ta sonnette,
dit le yak à l'accent canaque.

La baleine, la pauvre bête,
reçoit ces mots comme une claque.

Une baleine à bicyclette
qu'un yak accuse de faire des couacs !

Elle sonne juste ma sonnette,
dit la baleine du tac au tac.

Car ma sonnette a le son net
d'une jolie cloche de Pâques.

Ne te fâche pas, baleinette,
répond le yak qui a le trac.

(Une baleine à bicyclette
peut couler un yak en kayak.)

J'aime beaucoup ta sonnette,
elle a un son net et intact.

Bien trop poli pour être honnête,
dit la baleine au yak sans tact.

Le yak en kayak s'en va sur le lac
et la baleine à bicyclette

s'en va pédalant vers Cognac
en faisant sonner sa sonnette.

Comme je n'ai plus de rimes en ac
je reste en carafe dans le lac

comme une baleine un peu braque
qui n'a plus de tour dans son sac.

Claude Roy, *Nouvelles enfantasques*,
© Gallimard.

Des histoires avec Armeline :

Quentin Blake,
*Armeline Fourchedrue
Reine du volant*, Gallimard.

Quentin Blake,
Armeline et la grosse vague,
Gallimard.

Des objets à fabriquer :

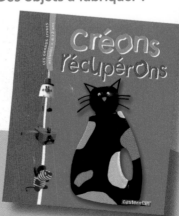

Créons, récupérons,
Casterman.

À pied, à cheval et en voiture...

Un documentaire sur les moyens de transport à travers le temps

Nathan

PARTIE 1

À pied ou à cheval

Les vélos et les voitures
n'ont pas toujours existé.

Dans l'ancien temps,
on marchait beaucoup.
Les hommes allaient
à pied de village en village.

Pour aller plus vite,
certains hommes
se déplaçaient à cheval.

Au Moyen Âge,
les chevaliers dressaient
leurs montures pour
la chasse, les tournois
et la guerre.

PARTIE 2

Les voitures à cheval

Pour transporter plusieurs personnes, les hommes ont inventé des véhicules à quatre roues pouvant être tirés par des chevaux.

Dans les campagnes, les charrettes transportaient les paysans et leurs enfants jusqu'en ville.

Les diligences emmenaient les voyageurs sur de longues distances.

Les diligences transportaient parfois des mallettes remplies d'argent. Les voyages duraient longtemps et il fallait se défendre contre les brigands de grands chemins !

Les premiers vélos

Il y a environ deux cents ans,
on a inventé les premiers engins
permettant de se déplacer
en pédalant.

Le grand bi est l'ancêtre du vélo :
il avait une très grande roue avant
et une toute petite roue arrière.
La selle était perchée très haut.

Les premières voitures à moteur

Un peu plus tard, l'invention
du moteur a tout changé !

Les premières voitures
ne roulaient pas très vite,
mais quel plaisir
de se déplacer sans effort !

PARTIE 3

Les premiers trains

Pendant longtemps, les wagons
des trains ont été tirés
par des locomotives à vapeur.
Elles ressemblaient à des dragons
crachant une fumée noire.

La panique s'emparait des gens
lorsque la locomotive à vapeur entrait en gare
en faisant un bruit assourdissant.

De drôles de machines volantes

Les montgolfières ont été inventées
bien avant les avions.

Ce sont de gros ballons qui volent
parce qu'ils sont remplis d'air chaud.
Mais il est dangereux de voler
quand il y a trop de vent pendant
une tempête.

Les frères Montgolfier
ont inventé la montgolfière.

Les premiers avions
ne transportaient
que le pilote.
Ils ne volaient
pas très haut.

PARTIE 4

Et aujourd'hui, comment se déplace-t-on ?

Pour se déplacer sur
de longues distances,
on prend l'avion
ou le train.

Le TGV relie
les grandes villes
de France en seulement
quelques heures.

En ville, on se déplace
souvent en voiture
ou à vélo.
Des fourgonnettes
circulent aussi pour
livrer des marchandises.

Beaucoup de gens
prennent l'autobus,
le tramway ou le métro
pour se rendre
au travail.

Aujourd'hui, on est
même capable
d'envoyer des fusées
et des navettes spatiales
dans l'espace.

Tu auras peut-être
la chance de voyager
un jour en navette
spatiale !

[v]

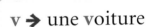

v ➜ une voiture

MOT - OUTIL

vers

v ➜ une voiture

🔊 Je peux voir aussi : w ➜ un wagon

1 Écoute la comptine.

Vive le vent, vive le vent
vive le vent d'hiver !
Qui s'en va sifflant, soufflant
dans les grands sapins verts…
Oh ! Vive le vent, vive le vent
vive le vent d'hiver
qui rapporte aux vieux enfants
leurs souvenirs d'hier.

Francis Blanche.

2 Écoute les phrases et regarde les mots. Répète les mots où tu entends le son [v].

● Quand les vélos et les voitures n'existaient pas, on voyageait souvent à cheval.

● Le chevalier se dirige vers le village voisin avec son serviteur.

3 Lis tout seul.

● la vie ● la vue ● un veau ● un vœu ● un verre ● un vol
la ville ● une louve ● la cave ● il va ● elle l'a vu ● elle couve

● du savon ● un navire ● la vallée ● la rivière ● une vipère
un violon ● voler ● avaler ● verser ● elle l'a voulu ● vous savez

● En avril, Ludovic part en classe de découverte dans le Var.

Activités

Compréhension

1 Réponds aux questions sur la partie 1 du documentaire (pages 30 et 31).

1. Comment se déplaçait-on dans l'ancien temps ?
2. Pour quelles occasions les chevaliers dressaient-ils leurs montures ?
3. Quel est le titre de la partie 1 du documentaire ? Pourquoi ce titre ?
4. Et toi, aurais-tu aimé te déplacer à cheval ? Pourquoi ?

2 Explique avec tes propres mots.

Les chevaliers dressaient leurs montures.

Lecture

3 Lis le texte.

Dans l'ancien temps, les hommes marchaient beaucoup. Certains hommes se déplaçaient à cheval pour aller plus vite.

Vocabulaire

4 Pour chaque moyen de transport, dis s'il se déplace sur l'eau ou dans les airs. Attention aux pièges !

 un parachute

 un autobus

 un pédalo

 une fusée

 un catamaran

 un sous-marin

 une montgolfière

 un hélicoptère

ch ➜ un cheval	*ch ➜ un cheval*	**MOT-OUTIL** chaque

1 **Écoute la comptine.**

> Un chasseur
> sachant chasser
> sait chasser
> sans son chien !

2 **Écoute les phrases et regarde les mots. Répète les mots où tu entends le son [ʃ].**

- À chaque arrêt, la diligence risquait d'être attaquée
  par les méchants brigands de grands chemins.
- *Les riches voyageurs cachaient leur trésor
  dans des sacoches.*

3 **Lis tout seul.**

- des choux • une vache • une biche • une mèche • la bouche
  une chaîne • riche • chaude • elle se couche • il marche
- un chaton • une machine • un parachute • des cheveux
  un bouchon • attacher • se moucher • arracher • elle chuchote
- Sur le chemin, la mère Michel cherche son chat. Le père Lustucru
  l'a caché dans sa charrette.

Je vois ch, mais je n'entends pas [ʃ] : une chorale – Christelle.

Activités

Compréhension

1 Réponds aux questions sur la partie 2 du documentaire (pages 32 et 33).

1. Qui était transporté dans des charrettes ?
2. Pourquoi les voyages en diligence étaient-ils dangereux ?
3. Qu'a-t-on inventé il y a deux cents ans ?
4. Grâce à quelle invention a-t-on pu se déplacer sans effort ?

2 Explique avec tes propres mots.

Il fallait se défendre contre les brigands de grands chemins !

Lecture

3 Lis le texte.

Les charrettes et les diligences étaient tirées par des chevaux. Le premier vélo s'appelait le grand bi. Plus tard, avec l'invention du moteur, les premières voitures sont apparues.

Étude de la langue

4 Qui dit ces phrases ?

« Je n'ai pas d'argent dans mes bagages…
– Tu n'as pas d'argent ? Tu mens !
– Je dis la vérité ! »

5 Imagine qu'il y a plusieurs passagers dans la diligence. Répète le dialogue ci-dessus en changeant les mots soulignés comme il convient.

an ➜ un catamaran   *an ➜ un catamaran*

en ➜ une diligence   *en ➜ une diligence*

am ➜ la campagne   *am ➜ la campagne*

em ➜ la tempête   *em ➜ la tempête*

MOTS-OUTILS
pendant
longtemps

👂 Je peux voir aussi : **aon** ➜ un faon

1 Écoute la comptine.

> Un panda géant
> attendit longtemps
> assis sur un banc
> la venue du printemps.

2 Écoute les phrases et regarde les mots. Répète les mots où tu entends le son [ã].

● Pendant les tempêtes, il est dangereux de voler en montgolfière à cause du vent.

● *Il y a longtemps, les trains ressemblaient vraiment à des dragons effrayants.*

3 Lis tout seul.

● le vent ◉ un banc ◉ le temps ◉ un paon ◉ un champ ◉ une dent
quand ◉ lent ◉ trente ◉ il le prend ◉ on chante ◉ elle tremble

● un ruban ◉ l'océan ◉ le dentiste ◉ un volcan ◉ une ambulance
la température ◉ ensemble ◉ rentrer ◉ il a senti ◉ en montant

● Au printemps, de grandes fleurs blanches poussent dans les champs.

👂 Je vois **an** ou **am**, mais je n'entends pas [ã] : un animal – jamais.
Je vois **en** ou **em**, mais je n'entends pas [ã] : ils parlent – un chemin.

Activités

Compréhension

1 **Réponds aux questions sur la partie 3 du documentaire (pages 34 et 35).**

1. À quoi sert une locomotive ?
2. À quoi faisaient penser les premières locomotives ?
   À ton avis, pourquoi ?
3. Quand ne faut-il pas utiliser une montgolfière ?
   À ton avis, pourquoi ?

2 **Explique avec tes propres mots.**
La panique s'emparait des gens.

Lecture

3 **Lis le texte.**

Les premiers trains roulaient grâce à la vapeur.
Bien avant les premiers avions, les hommes ont inventé de drôles
de machines volantes : les montgolfières !

Vocabulaire

4 **Qui vole ? Qui marche ? Qui roule ? Qui vogue ?**

le paysan

le voilier

l'autobus

l'hélicoptère

5 **Classe ces mots dans l'ordre alphabétique.**

train

diligence

avion

catamaran

vélo

[f]

f F ph
f F ph

f ➜ une fusée   f ➜ une fusée

ph ➜ un phare   ph ➜ un phare

MOT-OUTIL

sauf

1 Écoute la comptine.

Un éléphant danse
sur une assiette en faïence.
Sur une fourchette,
un phoque fait des galipettes.
« Mais ils sont tous fous »,
dit la fourmi au hibou.

2 Écoute les phrases et regarde les mots. Répète les mots où tu entends le son [f].

● Une fourgonnette se faufile facilement dans les rues car elle est plus fine qu'un camion.

● Sophie préfère se déplacer à vélo, sauf quand il fait très froid.

3 Lis tout seul.

● une fée ● le feu ● un bœuf ● une flamme ● un frère ● un chef
un phoque ● le front ● bref ● neuf ● faire ● ils sifflent

● les enfants ● un sifflet ● un défilé ● la farine ● une photocopie
la folie ● un pharaon ● une frontière ● décoratif ● réfléchir

● Farid a téléphoné à Stéphanie fin février pour préparer
la fête d'anniversaire de Fanny.

Je vois f, mais je n'entends pas [f] : des œufs – des bœufs.

Activités

Compréhension

1 Réponds aux questions sur la partie 4 du documentaire (pages 36 et 37).

1. Aujourd'hui, quels moyens de transport prend-on pour faire de longs trajets ?
2. Comment les gens peuvent-ils se rendre au travail ?
3. Où vont les fusées ?
4. Où irais-tu si tu pouvais voyager en navette spatiale ?

2 Explique avec tes propres mots.

1. Le TGV relie les grandes villes de France.
2. Des fourgonnettes circulent pour livrer des marchandises.

Lecture

3 Lis le texte.

Aujourd'hui, l'avion et le train permettent de se déplacer sur de longues distances. La voiture et l'autobus permettent de circuler en ville.

Un jour, peut-être, on pourra tous voyager en navette spatiale dans l'espace !

Étude de la langue

4 Qui dit ces phrases ?

« Chouette ! Nous allons prendre le train tout seuls pour la première fois ! »

« Vous êtes dans la voiture numéro 3. »

« Tu as composté ton billet Vincent ? »

« Oui, c'est fait ! Je me dépêche, je suis en retard ! »

5 Imagine ce que ces personnes pourraient dire d'autre. Utilise je, tu, nous et vous.

Compréhension

1 **Réponds aux questions sur l'ensemble du documentaire.**

1. Quel est le thème principal de ce documentaire :
   les voyages ? les moyens de transport ? les chevaliers ? les dragons ?

2. Parmi les moyens de transport présentés dans le documentaire :
   – Lesquels ne sont plus utilisés de nos jours ?
   – Lesquels ont changé et sont devenus plus modernes ?
   – Lesquels sont utilisés de nos jours ?

2 **Et toi, qu'en penses-tu ?**

1. Parmi les moyens de transport présentés dans ce documentaire,
   lequel préfères-tu ? Pourquoi ?

2. Connais-tu d'autres moyens de transport ? Lesquels ?

3 **Vrai ou faux ?**

1. Les premières locomotives ressemblaient à des dragons.

2. Au Moyen Âge, les chevaliers participaient à des tournois à cheval.

3. Les vélos ont toujours existé.

4. Les montgolfières sont plus anciennes que les avions.

5. Le TGV est très lent.

4 **Dis le nom de ces moyens de transport et classe-les du plus ancien au plus récent.**

Activités

Drôles de textes ! Dis ce qui te paraît bizarre dans chaque texte.

1

Pendant très longtemps, les gens ont marché à vélo de village en village. Au Moyen Âge, certains hommes utilisaient le cheval pour aller plus vite.

2

Pendant très longtemps, les gens ont marché à pied d'arbre en arbre. Au Moyen Âge, certains hommes utilisaient le cheval pour aller plus vite.

3

Pendant très longtemps, les gens ont marché à pied de village en village. Au Moyen Âge, certains hommes utilisaient l'avion pour aller plus vite.

4

Pendant très longtemps, les gens ont marché à pied de village en village. Au Moyen Âge, certains hommes utilisaient le cheval pour aller moins vite.

L'atelier des mots

1 Écoute la comptine.

Dans le ciel

En parapente
pas de parafoudre
pour me protéger de la foudre,
pas de pare-chocs
pour me protéger des chocs.
J'ai juste mon parachute
pour m'éviter les chutes.

2 À quoi servent ces parties de la voiture ?

le pare-soleil

le pare-brise

le pare-boue →

le pare-chocs

3 Comment s'appelle l'objet qui protège :

du feu ?

de la pluie ?

de la fumée ?

1 **Lis tout seul les mots.**

- une fente ● de l'encre ● un faon ● les poches ● une tache
une flaque ● des moufles ● les lèvres ● un souffle ● un coffre
une fève ● un livre ● un fruit ● vif ● fou ● il se couvre
- une avalanche ● un chiffon ● une affiche ● les vacances
une fanfare ● un volant ● un chanteur ● un vendeur
attentif ● attentivement ● franchir ● inventer ● avancer

2 **Lis tout seul les phrases.**

- Le champion de ski descend la pente à toute vitesse.
- Le vent souffle très fort dans les branches des arbres.

3 **Lis tout seul un nouveau texte.**

Les élèves classent des photos d'animaux. Ils mettent les photos
des éléphants et des chevaux dans une pochette bleue.
Ils placent ensuite les photos des vautours et des faucons
dans une pochette marron.

4 **Trouve la syllabe qui manque au début de chaque mot et lis tout seul le mot obtenu.**

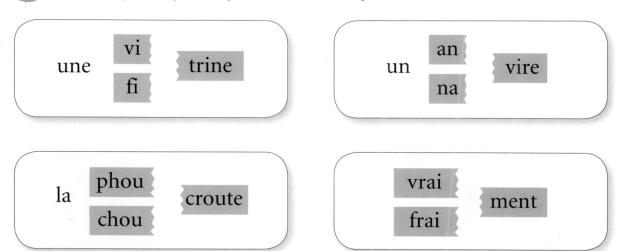

une | vi / fi | trine

un | an / na | vire

la | phou / chou | croute

| vrai / frai | ment

La réunion de famille

Ma tante Agathe
Vient des Carpates
À quatre pattes

Mon oncle André
Vient de Niamey
À cloche-pied

Mon frère Tchou
Vient de Moscou
Sur les genoux

Ma sœur Loulou
Vient de Padoue
À pas de loup

Grand-père Armand
Vient de Ceylan
En sautillant

Ma nièce Ada
Vient de Java
À petits pas

Mon neveu Jean
Vient d'Abidjan
Clopin-clopant

Oncle Firmin
Vient de Pékin
Sur les deux mains

Ma tante Henriette
Vient à la fête
En bicyclette

© Jacques Charpentreau.

Des documentaires :

Une histoire :

Les transports,
coll. « Kididoc »,
Nathan.

J. Jacquet et B. Heitz,
*Comment c'était avant :
les transports*,
Albin Michel jeunesse.

É. Battut et M. Piquemal,
Pêcheur de couleurs,
Didier jeunesse.

Le loup Gary

Une histoire écrite par Fanny Joly
et illustrée par Fabrice Turrier

Nathan

Ce jour-là,
le soleil est déjà haut
quand Gary le loup
sort du lit…

– Nom d'un pétard,
s'écrie Gary,
mon réveil est arrêté !
Avec tout ce que j'ai
à faire ce lundi !

Gary a dépensé tous
ses sous pour s'offrir
ce réveil qui fait aussi
radio et cafetière.

Et ce matin, rien du tout.
C'est terrible pour Gary.

Gary sort de sa tanière.
Il court jusqu'à un petit chemin.
Là, trois enfants marchent
en chantant, justement :

Promenons-nous dans les bois pendant que le loup n'y est pas...

Quand ils voient Gary, ils crient :
– Au secours, le loup garou !
– Non… euh… moi c'est le loup Gary.
Bonjour, je…

Mais les enfants n'entendent rien.
Ils sont déjà loin.

Gary rentre chez lui, déçu.
« Je leur ai fait peur, pense-t-il
en se regardant dans la glace.
C'est vrai que je suis tout sale,
tout ébouriffé, tout nu… »

Du coup, il se douche,
se coiffe, met un chapeau
sur ses oreilles velues, une écharpe
pour cacher ses dents pointues.
Et même un peu de parfum.

Gary ressort
de sa tanière quand,
au détour d'un buisson,
que voit-il ?

57

Un chasseur armé d'un fusil…
« Lui au moins n'aura pas peur »,
se dit Gary. Et il s'avance :
– Bonjour, je voudrais…
Mais :

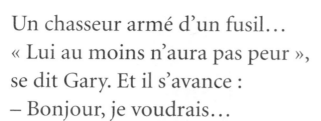

Trois coups de feu lui partent
dans les pattes. Cette fois,
c'est Gary qui s'enfuit !
« Ça alors, se dit-il,
même le chasseur
a peur de moi !

Alors Gary a une idée.
Il prend une grande feuille
de papier et il écrit :

AUCUN DANGER,
IL NE FAUT PAS
AVOIR PEUR !

Gary aperçoit une dame
qui ramasse des fleurs. Il s'approche :
– Bonjour, je voudrais vous…
Mais à ces mots, la dame lève le nez
et pousse un cri de terreur.
Au lieu de lire la pancarte, que fait-elle ?

Elle grimpe sur un arbre
pour échapper au loup.
Gary grimpe aussi.
La dame claque des dents :
– Ne me dévorez pas !
Je vous donnerai des steaks, des rôtis…

– Merci, mais je ne mange
que des tartines, répond Gary.
La dame est bien soulagée.
Elle offre à Gary ses fleurs
et un baiser.

Ému, Gary peut enfin demander :
– Quelle heure est-il, s'il vous plaît ?
– Midi, répond la dame.
Mais pourquoi êtes-vous si pressé ?
On est dimanche aujourd'hui !
– Dimanche !?! s'écrie Gary.
Je croyais qu'on était lundi !

FIN

j → un donjon	j → un donjon
g → une bougie	g → une bougie
ge → un pigeon	ge → un pigeon

MOT-OUTIL
jamais

1 Écoute la comptine.

Au royaume des nuages,
le soleil est sage.
Au royaume des orages,
le tonnerre fait rage.
Au royaume des images,
je suis toujours sage.

2 Écoute les phrases et regarde les mots. Répète les mots où tu entends le son [3].

- Les gens ne disent jamais bonjour à Gary ; ils ne sont pas gentils.
- J'aime le joli chapeau jaune de Gary.

3 Lis tout seul.

- la joue ● un jeu ● le jour ● un geai ● le gel ● la jupe ● la neige
  l'âge ● rouge ● je plonge ● elle jette ● elle nage ● il joue
- la magie ● un bijou ● une image ● une girafe ● le journal
  le jeudi ● un danger ● une dragée ● un bourgeon ● il rougit
- Je nage dans l'eau gelée, mais je ne fais pas de plongeon.

Je vois g, mais je n'entends pas le son [3] : la glace – long.

Activités

Compréhension

1 Réponds aux questions sur l'épisode 1 (pages 52 à 55).

1. Où Gary habite-t-il ?
2. Gary a-t-il entendu son réveil ? Pourquoi ?
3. Qu'est-ce qui est terrible pour Gary ? Pourquoi ?
4. Que chantent les enfants ? Connais-tu cette chanson ?
5. Comment les enfants réagissent-ils quand ils voient Gary ?

2 Explique avec tes propres mots.

1. Le soleil est déjà haut.
2. Gary sort de sa tanière.

Lecture

3 Lis le texte.

Ce jour-là, le réveil de Gary s'est arrêté.

« Avec tout ce que j'ai à faire ce lundi ! » s'écrie Gary.

Quand Gary sort de sa tanière, les enfants crient : « Au secours ! »

Vocabulaire

4 Ces personnages te semblent-ils gentils ou méchants ? Dis pourquoi.

Belle

le loup

la Bête

la vilain petit canard

Boucle d'Or

la sorcière

oi → un petit p**ois**   oi → un petit pois   **MOT - OUTIL**

parfois

👉 Je peux voir aussi : **wa** → un wapiti   **oua** → de la ouate

1 Écoute la comptine.

> Il était une fois
> trois petites oies
> qui allaient au bois
> ramasser des noix
> pour les offrir au roi.

2 Écoute les phrases et regarde les mots. Répète les mots où tu entends le son [wa].

● Devant le miroir, Gary se voit et coiffe ses poils.

● Parfois, dans le noir, Benoît a peur qu'il y ait un loup dans son armoire.

3 Lis tout seul.

● une oie ● un roi ● un choix ● le soir ● un toit ● un mois
des poils ● droit ● noir ● trois ● voir ● elle nous croit

● un moineau ● une étoile ● une armoire ● un poisson
le miroir ● une nageoire ● un plongeoir ● bonsoir
tu les revois ● il s'asseoit ● il refroidit ● il aboie ● avoir

● Parfois, on aperçoit, le soir, l'ombre d'un chat noir
derrière les voitures.

👉 Je vois **oi**, mais je n'entends pas [wa] : du foin – un oignon.

Activités

Compréhension

1 Réponds aux questions sur l'épisode 2 (pages 56 à 59).

1. Pourquoi Gary est-il déçu ?
2. Pourquoi Gary met-il un chapeau ? Pourquoi met-il une écharpe ?
3. À ton avis, pourquoi Gary pense-t-il que le chasseur n'aura pas peur de lui ?
4. Que représente la forme noire sur l'illustration ?

2 Explique avec tes propres mots.

1. Je suis tout ébouriffé.
2. Trois coups de feu lui partent dans les pattes.

Lecture

3 Lis le texte.

Gary met un chapeau jaune et une écharpe.
Il ressort de sa tanière et voit un chasseur. Le chasseur tire sur Gary.
« Même le chasseur a peur de moi », se dit Gary.

Étude de la langue

4 Trouve le mot qui manque. Aide-toi de l'exemple.

un chat gris ⟶ une chatte grise | un petit chien ⟶ une 🐾 chienne
un renard roux ⟶ une renarde 🐾 | un lapin blanc ⟶ une lapine 🐾

5 Écoute les mots qui décrivent le loup Gary.
Transforme ces mots pour décrire la louve Garynette.

gentil souriant

beau poilu

le loup Gary

la louve Garynette

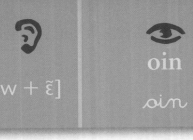

oin → un coin   oin → un coin

au moins

1 Écoute la comptine.

> J'ai besoin de shampoing.
> J'en cherche dans tous les coins,
> mais point de shampoing !
> Il y en a dans le magasin au rond-point,
> mais c'est trop loin !

2 Écoute les phrases et regarde les mots. Répète les mots où tu entends le son [wɛ̃].

- Avec ses dents pointues, Gary mange tous les jours au moins trois coings.

- Le loup Gary rejoint son copain le loup Antoine pour aller dans une forêt lointaine.

3 Lis tout seul.

- un soin • une pointe • un point • du foin • loin • moins
- du shampoing • un témoin • un recoin • une pointure • pointu lointain • rejoindre • coincer • vous pointez • joindre
- Il a regardé dans les moindres recoins : point de shampoing !

68 👂👁 Je vois **oin**, mais je n'entends pas [wɛ̃] : un moineau – de l'avoine.

Activités

Compréhension

1 Réponds aux questions sur l'épisode 3 (pages 60 à 63).

1. Quelle idée Gary a-t-il ?
2. L'idée de Gary fonctionne-t-elle ? À ton avis, pourquoi ?
3. Pourquoi la dame est-elle soulagée ?
4. Quelle bonne nouvelle Gary apprend-il ?

2 Explique avec tes propres mots.

1. La dame pousse un cri de terreur.
2. La dame est bien soulagée.
3. Gary est ému.

AUCUN DANGER, IL NE FAUT PAS AVOIR PEUR !

Lecture

3 Lis le texte.

Gary écrit sur du papier : « Aucun danger, il ne faut pas avoir peur ! » Mais la dame monte sur un arbre pour lui échapper. Gary réussit à la rassurer. La dame lui apprend alors qu'il s'est trompé de jour. Ce n'est pas lundi, c'est dimanche !

Étude de la langue

4 Invente des phrases en prenant des mots dans la maison verte et des mots dans la maison jaune.

camion
casquette
chapeau
voiture
chaise
tabouret

grand
verte
nouveau
grande
nouvelle
vert

Compréhension

1 Choisis le bon résumé.

1

> Gary est un gentil loup. Un lundi matin, il se réveille tard. Il sort vite de sa tanière. Sur le chemin, les gens ont peur de lui : trois enfants s'enfuient au loin en le voyant ; un chasseur lui donne des fleurs ; dès qu'elle l'aperçoit, une dame lui donne un baiser.

2

> Gary est un gentil loup. Un matin, son réveil ne fonctionne plus. Pensant que c'est lundi, il sort vite de sa tanière. Sur le chemin, tout le monde a peur de lui. Une dame crie dès qu'elle l'aperçoit. Gary est très déçu ! Mais il parvient à la rassurer et la dame lui apprend qu'il s'est trompé de jour. Ce n'est pas lundi, c'est dimanche !

2 Et toi, qu'en penses-tu ?

1. À ton avis, pourquoi tout le monde a-t-il peur de Gary ?
2. Et toi, as-tu peur de Gary ? Pourquoi ?
3. Connais-tu des histoires où le loup fait peur ?
   Connais-tu des histoires où le loup est gentil ?

Compréhension

1 Mets les phrases de ce texte dans le bon ordre. Aide-toi des dessins.

Ensuite, il rencontre un chasseur.

À la fin, le loup rencontre une dame.

D'abord, Gary rencontre trois enfants.

2 Trouve les deux phrases qui veulent dire la même chose.

1. Gary a mis son chapeau puis il est sorti.

2. Gary est sorti puis il a mis son chapeau.

3. Gary a mis son chapeau et il est sorti.

3 Ces phrases racontent les étapes de la promenade du loup. Raconte l'étape qui manque.

- D'abord, le loup discute avec le Petit Chaperon rouge.
- Ensuite, il traverse la mare.
- Enfin, il arrive devant la porte du château.

1 Écoute la comptine.

Une confusion impardonnable

Le loup Garou est impossible,
son écriture est illisible.
Le loup Gary est incroyable,
et sa coiffure irréprochable.
Ces deux loups sont inoubliables,
les confondre, c'est impensable !

2 Dis les contraires de ces mots.

buvable confortable immangeable illisible

3 Trouve les mots qui conviennent à Gary. Trouve les mots qui conviennent à Garou.

Gary est toujours sage ! **Garou n'est jamais sage !**

impoli patient imprudent

prudent poli impatient

1 **Lis tout seul les mots.**

- des doigts ● des soins ● une foire ● une voile ● la voix
une croix ● une poire ● le froid ● des noix ● une page
du jus ● du poivre ● une boîte ● la ouate ● il bouge
- la jetée ● un bougeoir ● la gelée ● une pivoine ● un croissant
une boisson ● un wapiti ● les devoirs ● un cageot ● un trajet
une fougère ● il rejoindra ● dévoiler ● enrager ● noircir

2 **Lis tout seul les phrases.**

- Les mouchoirs jetables sont fabriqués avec de la ouate.
- Avec mes jumelles, je vois, au loin, trois girafes.

3 **Lis tout seul un nouveau texte.**

Le jardin est recouvert de neige. La balançoire
est toute blanche. Mes doigts sont gelés car il fait
très froid ce soir.

4 **Forme des mots en prenant une syllabe dans la boîte orange
et une syllabe dans la boîte bleue.**

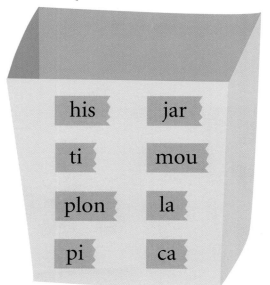

his	jar
ti	mou
plon	la
pi	ca

geon	choir
voir	voine
geot	toire
roir	din

La vérité, enfin, sur la chèvre de monsieur Seguin

La petite chèvre
De monsieur Seguin
Ne fut pas mangée
Au petit matin.

Elle se battit
Si gaillardement
Qu'à la fin le loup
Alla s'essoufflant.

Arrêtons petite
Lui dit le coquin,
C'était pour rire
Serrons-nous la main.

Ainsi firent-ils
Et se retirèrent
Pour aller chacun
Dans sa chacunière.

Bien sûr la biquette
Fut mise au piquet.
A-t-on jamais vu
Chèvre découcher ?

Mais pour sa vaillance
On l'en retira,
Je crois savoir même
Qu'on la décora.

Si j'en ai menti,
Je veux bien copier
Dix fois la nouvelle
De monsieur Daudet.

Jean Rousselot, *Du blé de poésie*,
© L'idée bleue, 1997.

Geoffroy de Pennart,
Chapeau rond rouge,
L'école des loisirs.

Mario Ramos,
C'est moi le plus beau,
L'école des loisirs.

Gilles Bachelet,
*Il n'y a pas d'autruches
dans les contes de fées*,
Le Seuil jeunesse.

La **vie**
des **loups**

Un documentaire sur un animal sauvage

Nathan

PARTIE 1

Loup, qui es-tu ?

Je gronde, j'aboie.
Et je hurle aussi, en chœur, avec les miens.
Le hurlement est notre chant.

Adulte, je pèse environ
quarante kilos.

J'ai la taille d'un gros chien.

Je peux vivre huit à seize années.
Vingt ans, parfois, mais c'est un record !

Le loup est un très bon coureur.
Il peut parcourir cinquante
kilomètres en une journée.

Loup, que manges-tu ?

Je suis carnivore :
je ne mange que de la viande.
Avec mes mâchoires
très puissantes, je me régale
de petits rongeurs, d'oiseaux,
de lapins, de moutons,
de cerfs, de sangliers…

77

Les loups saluent leur chef en lui léchant les joues.

Une vie organisée

Les loups vivent et chassent en groupe. Ils forment une meute.
Le chef de la meute est le loup le plus puissant et le plus courageux.
Il protège le groupe. Les autres doivent lui obéir.

Le chef de la meute reste toute sa vie avec la même louve :
la louve-reine. Eux seuls, dans la meute, ont des petits.

Les loups de la meute délimitent
leur territoire avec leur odeur
et leurs excréments.
C'est sur ce territoire qu'ils chassent
pour se nourrir. Aucun loup
d'une autre meute n'a le droit d'y venir.

Attention !
Les babines retroussées,
le loup grogne et menace.

PARTIE 2

Loups piégés, loups chassés

Autrefois, lorsqu'il y avait encore de grandes forêts, les loups étaient nombreux. Quand ils avaient trop faim, ils dévoraient les moutons et les agneaux du berger, les poules du fermier et, parfois, des gens.

Alors les hommes inventèrent de terribles pièges pour éliminer tous les loups.

À cause de cette chasse, les loups ont failli disparaître totalement. Maintenant, en France, ils sont protégés. Il est interdit de les chasser.

Les petits loups

La maman louve prépare l'arrivée de ses louveteaux au début du printemps. Près de l'eau, elle aménage une tanière confortable, avec de l'herbe sèche et des poils.

Quatre à sept mignons petits loups naissent en même temps. Dès la naissance, ils tètent leur maman.

À la naissance, les louveteaux sont fragiles : ils naissent sourds et aveugles.

À deux mois, les jeunes loups mangent la viande
que les adultes ont mâchée pour eux.
Lorsqu'ils sont un peu plus grands, la maman louve apporte
des petits rongeurs à ses louveteaux pour qu'ils essaient
de les attraper !
Pour devenir adultes, ils doivent apprendre à chasser tout seul.

Les louveteaux sortent
de la tanière pour jouer
à la bagarre, mais
ils ne s'éloignent pas
de la meute.

g → les griffes   g → les griffes

gu → la gueule   gu → la gueule

MOT-OUTIL

grâce à

1 Écoute la comptine.

Il fait des grimaces à gogo,
ce garçon est rigolo.
Il grignote des croissants,
ce garçon est très gourmand !

2 Écoute les phrases et regarde les mots. Répète les mots où tu entends le son [g].

- Grâce à ses grandes mâchoires, le loup se régale de petits rongeurs et de sangliers.

- Le chef de la meute guide son groupe vers un sanglier qui se goinfre de glands.

3 Lis tout seul.

- une bague ● une glace ● des gants ● la gorge ● à gauche
grande ● gai ● gros ● il gronde ● il guide ● elle garde

- un dragon ● une guirlande ● une épingle ● un chagrin
un garçon ● une grimace ● gourmand ● il grandit

- Le jour du carnaval, Gabriel se déguise en ogre pour faire peur aux gamins du quartier.

Je vois g, mais je n'entends pas [g] : un étang – une girafe.

Activités

Compréhension

1 Réponds aux questions sur la partie 1 du documentaire (pages 76 à 78).

1. Combien d'années un loup peut-il vivre ?
2. De quoi se nourrit un loup ?
3. Que font les loups pour saluer leur chef ?
4. Dans la meute, quels loups ont des louveteaux ?
5. Ce texte est-il une histoire comme *Le loup Gary* ? Pourquoi ?

2 Explique avec tes propres mots.

1. Le hurlement est notre chant.
2. Le loup est carnivore.
3. Les loups de la meute délimitent leur territoire.

Lecture

3 Lis le texte.

Les loups vivent environ seize années. Ils ont la taille d'un gros chien.
Les loups sont carnivores : ils se nourrissent d'animaux.
Les loups vivent en meute avec un chef.

Vocabulaire

4 Quels sont les animaux carnivores, comme le loup ?

la vache   le renard   le chacal   le lapin

la poule   le mouton   le coyote   le moineau

gn → la montagne   *gn → la montagne*

MOT-OUTIL

soi**gn**eusement

1 Écoute la comptine.

> Une araignée sur mon miroir,
> un agneau dans mon tiroir,
> une cigogne dans ma baignoire !
> Et toi, petite musaraigne,
> vas-tu prendre aussi mon peigne ?

2 Écoute les phrases et regarde les mots. Répète les mots où tu entends le son [ɲ].

- Derrière un châtaignier, la louve prépare soigneusement l'arrivée de ses mignons petits loups.
- *Les louveteaux n'ont pas le droit de s'éloigner de la meute sans être accompagnés.*

3 Lis tout seul.

- une ligne ● un peigne ● la vigne ● un règne ● un signe digne ● il se cogne ● elle gagne ● il saigne ● il grogne
- un champignon ● une châtaigne ● la baignade ● une araignée la campagne ● un agneau ● mignon ● accompagner ● s'éloigner
- En sortant de la baignoire, Agnès a mis son peignoir et elle s'est fait un chignon.

Je vois **gn**, mais je n'entends pas [ɲ] : un gnou.

Compréhension

1 Réponds aux questions sur la partie 2 du documentaire (pages 79 à 81).

1. Autrefois, pourquoi les hommes voulaient-ils éliminer les loups ?
2. Que fait la louve pour préparer l'arrivée des louveteaux ?
3. Comment sont les louveteaux quand ils viennent de naître ?

2 Explique avec tes propres mots.

1. Les loups ont failli disparaître totalement.
2. La louve aménage une tanière confortable.

Lecture

3 Lis le texte.

Longtemps, les loups ont été chassés par les hommes.
Maintenant, ils sont protégés.
Quand ils naissent, les louveteaux sont fragiles. Leur mère
leur apporte de la nourriture. Pour devenir adultes,
ils doivent apprendre à chasser.

Étude de la langue

4 le, la ou les ? Dis si le nom est singulier ou pluriel.

 loup

lapins

 poules

 biche

5 Ajoute le, la ou les devant chaque nom en bleu.

1. 🐾 loups vivent en groupe.
2. 🐾 louve aménage la tanière.
3. Le chef est 🐾 loup le plus puissant de la meute.
4. Les loups saluent leur chef en lui léchant 🐾 joues.

Dis si le nom en bleu est singulier ou pluriel.

Compréhension

1 **Réponds aux questions sur l'ensemble du documentaire.**

1. Quel est le thème principal de ce documentaire :
   les animaux sauvages ? les louveteaux ? les loups ?
2. Comment appelle-t-on un groupe de loups qui vivent ensemble ?
3. Compare le dessin du loup Gary et la photo d'un vrai loup :
   quelles sont les ressemblances ? Quelles sont les différences ?

2 **Et toi, qu'en penses-tu ?**

1. As-tu peur des loups ? Pourquoi ?
2. Qu'est-ce qui t'a plu ou déplu dans ce documentaire ?

3 **Vrai ou faux ?**

1. Le loup peut vivre jusqu'à 40 ans.
2. Le loup aboie.
3. Les louveteaux entendent très bien dès la naissance.
4. Aujourd'hui, tous les loups ont disparu.
5. Les loups lèchent leur chef pour le saluer.

4 **Mets les phrases de ce texte dans le bon ordre.**

Les louveteaux naissent au printemps.

Plus tard, ils pourront manger de la viande.

Dès la naissance, les petits tètent leur maman.

Compréhension

1 Répète les phrases en remplaçant il, elle et ils par les noms qui conviennent.

1. Le loup est carnivore : il ne mange que de la viande.
2. La louve est carnivore : elle ne mange que de la viande.
3. Le renard et le fennec sont des cousins du loup : ils sont de la même famille.

2 Qui se cache derrière les mots en bleu ? Dis de qui il sagit.

Les loups ont une vie surprenante. Ils vivent en meute.
Un chef protège la meute. Il est puissant et courageux.
Avant, les loups étaient chassés par les hommes. Maintenant, ils sont protégés.
Quand ils sont petits, les louveteaux sont nourris par leur mère.
Elle leur apporte des petits rongeurs.

Vocabulaire

3 Trouve les contraires, comme dans l'exemple.

Le loup est sale. ——→ Non, il n'est pas sale. Il est propre.

1. Le louveteau est un grand loup. Non,
2. Le territoire du loup a une odeur agréable. Non,
3. La tanière du loup est inconfortable. Non,

L'atelier des mots

1 **Écoute la comptine.**

Vraiment ?

Les bonshommes de neige s'enrhument rarement.
Les escargots se déplacent rapidement.
Les gazelles courent lentement.
Les ogres mangent toujours proprement
et les loups aiment énormément…
… les enfants !

2 **Quel dessin correspond le mieux à chaque phrase ?**

a.

1. Les ogres mangent toujours proprement.
2. Les ogres mangent toujours salement.
3. Les ogres mangent toujours goulûment.
4. Les ogres mangent toujours lentement.

b.

3 **Forme des mots qui se terminent par ment.**
Invente des phrases avec les mots que tu as formés.

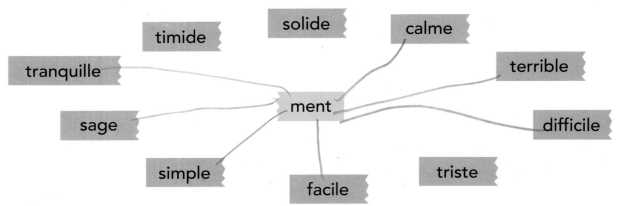

solide
timide
calme
tranquille
terrible
ment
sage
difficile
simple
triste
facile

S'entraîner pour mieux lire

1 Lis tout seul les mots.

● un cygne ● un peigne ● un guide ● un gage ● une graine
la gorge ● des griffes ● gris ● grosse ● grogner ● il se gratte
elle se gare ● on le goûte ● on le garde ● elle l'accompagne

● une baguette ● une poignée ● un escargot ● une vignette
des bagages ● des gaufrettes ● un guidon ● magnifique
souligner ● ignorer ● guetter ● se régaler ● enseigner

2 Lis tout seul les phrases.

● En montagne, il ne faut pas s'éloigner du guide pour ne pas s'égarer.
● La musaraigne grignote une araignée qu'elle a trouvée dans le grenier.

3 Lis tout seul un nouveau texte.

Quand maman a voulu prendre son bagage, elle a poussé
un grand cri. Un gros escargot avait bavé sur la poignée
de sa valise. C'était dégoûtant !

4 Trouve la syllabe qui manque et lis tout seul le mot obtenu.

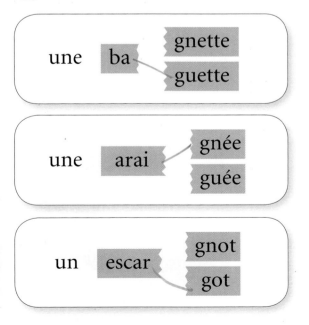

une ba — gnette / guette

une arai — gnée / guée

un escar — gnot / got

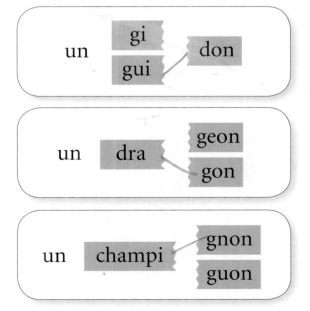

un gi / gui — don

un dra — geon / gon

un champi — gnon / guon

Le loup vexé

Un loup sous la pluie,
sous la pluie qui mouille,
loup sans parapluie,
pauvre loup gribouille.

Est-ce qu'un loup nage ?
Entre chien et loup,
sous l'averse en rage,
un hurluberloup ?

Le loup est vexé
parce qu'on prétend
que par mauvais temps
un loup sous la pluie
sent le chien mouillé.

Claude Roy, *Enfantasques*,
© Gallimard.

Un documentaire :

La famille des loups,
coll. « Mon petit monde »,
Nathan.

Des histoires :

Jean-François Bladé,
Dix contes de loups,
Pocket jeunesse.

Geoffroy de Pennart,
Balthazar,
L'école des loisirs.

Les grasses matinées du Soleil

Une histoire écrite par Gilles Massardier
et illustrée par Charlotte Roederer

Nathan

Lundi matin,
sept heures sonnantes.

Maman vient d'ouvrir les volets
et la maison s'éveille. Jules saute
de son lit. Dehors, il fait nuit noire.

Le petit garçon entre dans la cuisine.
– Bonjour, M'man ! Salut, P'a !
Ses parents répondent ensemble :
– Bonjour, Jules !

Jules a l'air embêté.
– Pourquoi le Soleil n'est pas dans le ciel ?
Papa lève le nez de son bol de café.
– Eh bien, vois-tu, en hiver, le Soleil
se réveille un peu plus tard le matin.
Et, le soir, il se couche plus tôt.

Les yeux de Jules s'agrandissent de surprise.

– Le Soleil, ajoute Maman, est fatigué
d'avoir brillé tout l'été. Alors, il prend du repos.
Il doit être en forme, bien chaud, bien lumineux
pour les prochaines grandes vacances.

– Ah… et s'il décidait de rester sous sa couette
pour faire la grasse matinée ? s'inquiète Jules.
Il y aurait la nuit à midi, peut-être même
dans l'après-midi ?

– Voyons, fait Papa en riant, c'est impossible.
Le Soleil est trop sérieux.

N'empêche ! Mardi, le Soleil sort de son lit
avec dix minutes de retard.
Mercredi, aussi. Jeudi et vendredi,
plus d'une demi-heure !
Deviendrait-il paresseux ?
« Voilà qui est préoccupant ! »
disent les grandes personnes.

Le samedi, c'est pire : le Soleil ne se réveille qu'à midi.
Et le dimanche, il ne brille pas de la journée.
C'est carrément grave !

Bientôt, dans la ville de Jules, comme partout ailleurs
sur la Terre, les gens ont le moral au plus bas ; ils partent
au travail avec des lampes accrochées à leurs chapeaux.
Les lumières des maisons, les phares des autos
et les réverbères dans les rues restent allumés.

À l'usine, Papa révèle à qui veut bien l'entendre
que son petit garçon avait prévu la paresse du Soleil.
Bientôt, Jules fait les gros titres des journaux :

Voilà Jules célèbre ! Trois scientifiques l'invitent même
à assister à leur réunion de travail, dans un observatoire
plein de télescopes et d'instruments bizarres dont Jules
ne connaît pas le nom.

– Oh ! là, là ! fait le premier savant
en vérifiant son écran d'ordinateur.
Qu'allons-nous faire ?

– Sans la lumière du Soleil, la végétation ne poussera plus,
poursuivit le deuxième. Et, sans fleurs ni plantes ni blé,
l'homme ne peut pas vivre.
– Quelle catastrophe ! dit le troisième scientifique
en s'arrachant les cheveux.

– Nous devons vite trouver un moyen de réveiller le Soleil,
fait remarquer Jules.
– Oui, mais lequel ?

Les trois savants se creusent la tête.

– On pourrait diffuser des cauchemars pour le forcer
à se réveiller ? propose le premier. Des images effrayantes
de squelettes, de têtes de mort et de monstres.
– C'est très méchant ! se plaint Jules.

Que faire alors ? Les scientifiques et le petit garçon
se triturent la cervelle de plus belle.

– Préparons-lui, chaque matin, un colossal petit déjeuner, fait le deuxième savant. Une baguette beurrée géante, de la confiture de fraises, des croissants et un énorme bol de chocolat tout fumant.
Humm ! Avec moi, ça marche tout le temps.

– Pourquoi ne pas lui faire parvenir des vitamines géantes pour lui donner du tonus ? suggère le troisième.

Jules hausse les épaules.
– Pfft ! Elles sont nulles vos propositions.

Avec un air désolé, les trois savants observent Jules qui s'est remis à réfléchir.

Soudain, le visage du garçonnet
s'éclaire.
– Expédions plutôt un réveil
dans l'espace, lance-t-il.
On le placera en orbite autour
du Soleil.
Il sera programmé depuis
la Terre pour qu'il sonne
à la bonne heure.

Les scientifiques se frappent le front.
Comment n'y ont-ils pas pensé plus tôt ?

Aussitôt, des ordres sont donnés ; des centaines
d'ouvriers construisent un gigantesque réveil
que l'on place ensuite dans une fusée.
Destination le Soleil. La mission est un succès.

Aujourd'hui – tout le monde le sait –, si le Soleil se lève
à l'heure, c'est grâce au réveil de Jules.

Fin

[z]

s S z Z
s 𝒮 𝓏 𝒵

s → un oiseau   s → un oiseau
z → quinze   z → quinze   **15**

MOT-OUTIL
à cause de

Je peux voir aussi : x → deuxième

1 Écoute la comptine.

> Quinze zèbres dans un zoo :
> le premier se trouvait beau,
> le deuxième faisait le sot,
> les treize autres, sur un trapèze,
> s'envolaient comme des oiseaux !

2 Écoute les phrases et regarde les mots. Répète les mots où tu entends le son [z].

● Jules se lève en se disant que c'est bizarre de ne pas voir le Soleil à l'horizon.

● À cause de la nuit noire, les oiseaux ne gazouillent pas ce matin et il n'y a pas de rosée sur le gazon.

3 Lis tout seul.

● un vase ● le gaz ● onze ● douze ● treize ● quinze ● seize
une rose ● une case ● ils posent ● il se rase ● elle se pèse
● une prison ● du gazon ● le bazar ● des marchandises ● un fusil
zéro ● une surprise ● la poésie ● le présent ● diviser ● elle visite
● Les zébus et les gazelles ne vivent pas dans le désert,
mais dans la savane.

Je vois s, mais je n'entends pas [z] : le Soleil – des fleurs.
Je vois z, mais je n'entends pas [z] : un nez – vous chantez.

Activités

Compréhension

1 **Réponds aux questions sur l'épisode 1 (pages 92 à 95).**

1. Pourquoi Jules a-t-il l'air embêté quand il se lève ?
2. Quelle explication les parents de Jules lui donnent-ils ?
3. Après ces explications, Jules est-il rassuré
   ou plus inquiet ? Pourquoi ?

2 **Explique avec tes propres mots.**

1. Il est sept heures sonnantes.
2. Si le Soleil décidait de faire la grasse matinée !

Lecture

3 **Lis le texte.**

Ce matin, Jules est bien embêté car le Soleil ne s'est pas levé.
Ses parents lui disent qu'en hiver, le Soleil se lève plus tard.
Et s'il ne se réveillait plus jamais, s'inquiète Jules ? Son père rit.
Il dit que c'est impossible car le Soleil est trop sérieux.

Vocabulaire

4 **Sont-ils réels ou imaginaires ? Explique pourquoi.**

les Zinzins de l'espace

Maître Yoda

Youri Gagarine

la fée Clochette

Leïka

Pégase

5 **Classe ces mots dans l'ordre alphabétique.**

extraterrestre

soucoupe

ailes

cosmonaute

fusée

				MOT - OUTIL
ill	➜ un caillou ➘ une fille	*ill*	➜ *un caillou* ➘ *une fille*	**ailleurs**
il ➜ le Soleil		*il* ➜ *le Soleil*		

1 **Écoute la comptine.**

Il pleut,
il mouille,
ouille, ouille !
J'ai les yeux qui mouillent
comme ceux d'une grenouille.

2 **Écoute les phrases et regarde les mots. Répète les mots où tu entends le son [j].**

● Le samedi, le Soleil se réveille à midi et, le dimanche, il ne brille
ni dans la ville de Jules ni ailleurs sur la Terre.

● *Sans le Soleil, plus de jonquilles ni de vanille,*
plus de groseilles ni de citrouilles non plus.

3 **Lis tout seul.**

● une feuille ● une paille ● la rouille ● une bille ● un œil
de l'ail ● la taille ● une quille ● vieille ● elle bâille ● il brille
● une bouteille ● un grillage ● un éventail ● un poulailler
un orteil ● un appareil ● un écureuil ● merveilleux ● cueillir
● La nuit, Camille ne voit pas briller les aiguilles de son réveil.

 Je vois **ill**, mais je n'entends pas [j] : la ville – mille.
Je vois **il**, mais je n'entends pas [j] : un fil – difficile.

Activités

Compréhension

1 **Réponds aux questions sur l'épisode 2 (pages 96 à 101).**

1. Pourquoi fait-il nuit ?

2. Pourquoi Jules devient-il célèbre ?

3. Qui invite Jules ? Pourquoi ?

4. Pourquoi un des savants dit-il : « Quelle catastrophe ! »

2 **Explique avec tes propres mots.**

1. Voilà qui est préoccupant !

2. Jules fait les gros titres des journaux.

3. Les trois savants se creusent la tête.

Lecture

3 **Lis le texte.**

Toute la semaine, le Soleil se lève de plus en plus tard. Le dimanche, il ne brille pas de la journée.

Jules avait prévu que le Soleil ne se réveillerait plus.

On parle de lui dans les journaux et il devient célèbre !

Il est alors invité par des scientifiques pour chercher une solution.

Étude de la langue

4 **Quelle phrase correspond à chaque dessin ?**

1.
    a. Elle a une lampe sur le front.
    b. Elles ont une lampe sur le front.

2.
    a. Il réfléchit pour trouver une solution.
    b. Ils réfléchissent pour trouver une solution.

3.
    a. Elle pousse grâce au Soleil.
    b. Elles poussent grâce au Soleil.

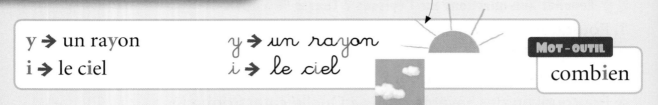

y ➜ un rayon

i ➜ le ciel

y ➜ un rayon

i ➜ le ciel

MOT-OUTIL

com**bi**en

1 **Écoute la comptine.**

> Les avions de papier
> dans le ciel vont et viennent.
> Qui sera le premier ?
> Le tien, le mien
> ou bien celui d'Étienne ?

2 **Écoute les phrases et regarde les mots. Répète les mots où tu entends le son [j].**

- Les scientifiques vont essayer de trouver un moyen
  pour réveiller le Soleil.

- Sans la lumière du Soleil, combien de temps
  la végétation pourrait-elle survivre ?

3 **Lis tout seul.**

- un lion ● une chienne ● un pion ● un pied ● un lien
  le mien ● le sien ● les yeux ● vieux ● il vient ● elle tient

- un yaourt ● un crayon ● une addition ● du papier ● un collier
  hier ● joyeux ● ancien ● des adieux ● payer ● nous voyons

- Dans la salle de répétition, le musicien joue un air mélodieux
  sur son piano.

> Je vois y, mais je n'entends pas [j] : un paysage – un cygne.
> Je vois i, mais je n'entends pas [j] : une toupie – du pain.

Activités

Compréhension

1 Réponds aux questions sur l'épisode 3 (pages 102 à 105).

1. Quelle solution propose le premier savant pour réveiller le Soleil ? le deuxième savant ? le troisième savant ?
2. Que propose Jules ?
3. Et toi, quelle solution aurais-tu proposée pour réveiller le Soleil ?

2 Explique avec tes propres mots.

1. Les scientifiques et le petit garçon se triturent la cervelle.
2. Le visage du garçonnet s'éclaire.
3. La mission est un succès.

Lecture

3 Lis le texte.

Chaque scientifique propose une solution pour réveiller le Soleil :
diffuser des cauchemars, préparer un énorme petit déjeuner
ou envoyer des vitamines géantes.
Jules trouve toutes ces propositions nulles. Soudain, il a une idée :
il faut envoyer un grand réveil dans l'espace ! Grâce à Jules,
le Soleil se lève à nouveau à l'heure !

Étude de la langue

4 Trouve l'intrus dans chaque maison.

il parle
il mange
il pense
ils cherchent

ils pensent
il travaille
ils parlent
ils mangent

Activités

Compréhension

1 Réponds aux questions sur l'ensemble de l'histoire.

1. Pourquoi cette histoire s'appelle-t-elle *Les grasses matinées du Soleil* ?
2. Qui sont les personnages de cette histoire ?
3. Quel autre titre pourrais-tu donner à cette histoire ?

2 Et toi, qu'en penses-tu ?

1. Crois-tu que cette histoire s'est réellement passée ? Pourquoi ?
2. Comment as-tu trouvé cette histoire : drôle ? triste ? inquiétante ? étrange ? Pourquoi ?
3. Aimes-tu faire la grasse matinée ? Pourquoi ?

3 Vrai ou faux ?

1. Les trois savants prennent une pelle pour se creuser la tête.
2. Cette histoire se passe en hiver.
3. Le papa de Jules travaille dans une usine.
4. Un scientifique devient chauve parce qu'il s'est arraché les cheveux.
5. Tous les matins, le Soleil prend des vitamines géantes pour avoir du tonus.

4 Mets les phrases de ce texte dans le bon ordre.

Alors Jules et les scientifiques cherchent une solution.

Un jour, le Soleil ne se réveille pas.

Le Soleil se lève enfin.

Ils envoient un réveil dans l'espace.

Activités

Compréhension

1 Trouve les deux phrases qui veulent dire la même chose.

1. Tous les gens ont le moral au plus bas.
2. Tout le monde a le moral au plus bas.
3. Jules a le moral au plus bas.

2 À qui correspond chaque groupe de mots en bleu ?

 Jules

 **les scientifiques**

Quand Jules se réveille, il fait nuit noire. Le petit garçon pense que le Soleil ne se réveillera plus.

Des scientifiques invitent l'enfant à une réunion de travail. Les trois savants cherchent une solution pour réveiller le Soleil.

Le jeune garçon propose d'envoyer un réveil dans l'espace pour que le Soleil se lève à l'heure !

Les trois hommes sont impressionnés par la proposition du garçonnet, et la mission est un succès.

Vocabulaire

3 Est-ce réel ou imaginaire ? Explique pourquoi.

un télescope ⬤ la poudre d'atmosphère ⬤ une navette spatiale
une fusée ⬤ une combinaison spatiale ⬤ une soucoupe volante

4 Pour chaque expression, dis si elle concerne :

 **le temps qu'il fait**

 le temps qui passe

une heure ⬤ nuageux ⬤ la pluie ⬤ à midi ⬤ le matin
une montre ⬤ un mois ⬤ le Soleil ⬤ le vent ⬤ longtemps

L'atelier des mots

1 **Écoute la comptine.**

Est-ce réalisable ?

Étudier les comètes,
c'est faisable !
Découvrir des planètes,
c'est envisageable !
Conduire une navette,
c'est imaginable !
Et vivre sur une autre planète,
est-ce possible ?

2 **Explique chaque mot illustré en t'aidant de l'exemple.**

mangeable $\longrightarrow$ Que l'on peut manger.

effaçable $\longrightarrow$?

portable $\longrightarrow$?

jetable $\longrightarrow$?

lisible $\longrightarrow$?

3 **Trouve le mot en able qui correspond à chaque verbe.**
Invente des phrases avec ces mots.

respirer ● utiliser ● observer ● préférer ● séparer

1 Lis tout seul les mots.

- une chose ● une hyène ● un zèbre ● un rail ● du miel
du gaz ● une blouse ● des braises ● une fraise ● une frise
une crise ● grise ● rien ● bien ● fière ● scier ● elles disent
- un fauteuil ● un yoyo ● un prisonnier ● un réveil ● un lièvre
une paysanne ● une noisette ● une rayure ● une médaille
joyeuse ● incroyable ● invisible ● plusieurs ● accueillir

2 Lis tout seul les phrases.

- Le cuisinier a essuyé ses mains mouillées sur son tablier à rayures.
- Le plombier utilise une clé anglaise pour réparer le tuyau sous l'évier.

3 Lis tout seul un nouveau texte.

Élise et Yann cueillent des cerises. Ils les mettent
dans une corbeille en osier. À la maison, ils laveront
les cerises. Puis ils retireront les noyaux et prépareront
une délicieuse tarte pour le dessert.

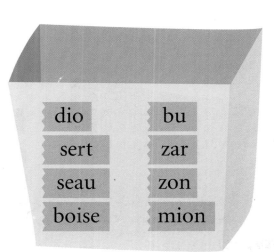

4 Forme des mots en prenant une syllabe dans la boîte orange
et une syllabe dans la boîte bleue.

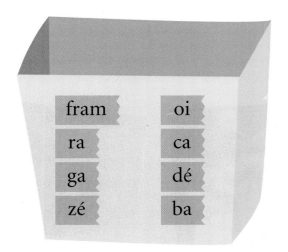

fram	oi
ra	ca
ga	dé
zé	ba

dio	bu
sert	zar
seau	zon
boise	mion

Le rêve de la lune

Si la lune brille
quand tu dors,
c'est pour planter
des milliers de soleils pour demain.
Si tout devient silence
quand tu dors,
c'est pour préparer
le chant de milliers d'oiseaux
et dorer les ailes des libellules.
Si la lune tombe dans tes bras
quand tu dors
c'est pour rêver avec toi
des milliers d'étoiles.

Marie Botturi, *Le rire des poètes*,
© Hachette, 1998.

Le chat et le soleil

Le chat ouvrit les yeux,
Le soleil y entra.
Le chat ferma les yeux,
Le soleil y resta.

Voilà pourquoi, le soir,
Quand le chat se réveille,
J'aperçois dans le noir
Deux morceaux de soleil.

Maurice Carême,
© Fondation Maurice Carême.

Des histoires :

Un documentaire :

M. Piquemal et A. Buguet,
Les noces du Soleil,
Lo Païs.

Ana Juan,
Le Croque-Nuit,
Gautier-Languereau.

De jour comme de nuit,
coll. « Kididoc »,
Nathan.

Le **Soleil,** notre **étoile**

Un documentaire sur le rôle et les dangers du Soleil

Nathan

Le Soleil est notre étoile !

Le Soleil est une étoile comme les étoiles que tu peux voir la nuit. Si le Soleil paraît beaucoup plus gros c'est parce qu'il est beaucoup plus près de nous.

Le Soleil est la seule étoile capable de nous éclairer : c'est grâce à lui qu'il fait jour.

La nuit, quand le Soleil ne nous éclaire pas, le ciel est sombre, et nous pouvons voir les autres étoiles de la galaxie, très loin dans l'espace.

Une étoile est une énorme boule de gaz qui brûle.

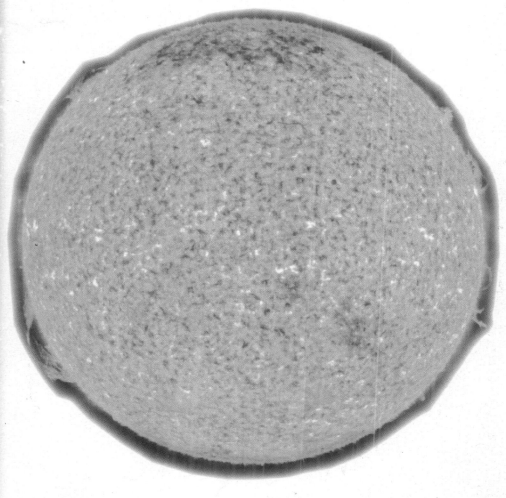

Le Soleil est gigantesque par rapport à la Terre !

Autour du Soleil

La Terre tourne autour du Soleil.
C'est une planète. Sept autres planètes
tournent également autour du Soleil.
Le Soleil et ces planètes forment
le système solaire.

La Terre met un an pour tourner autour
du Soleil.

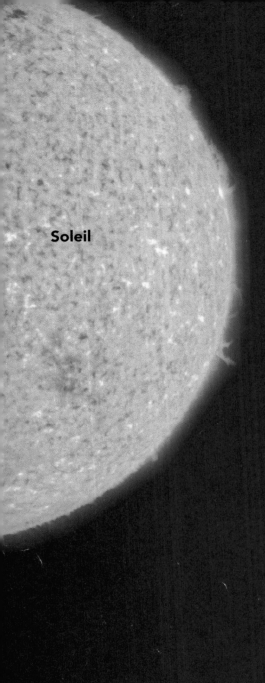

Soleil

Mercure

Vénus

Terre

Mars

Il était une fois,
Dédale et son fils Icare
qui étaient enfermés
dans un labyrinthe.
« Comment s'enfuir d'ici ? »
se demandaient-ils.

Dédale eut une idée : il fixa
des ailes avec de la cire sur
son dos et sur celui de son
fils. Puis, avant de s'envoler,
il lui conseilla : « Ne monte
pas trop haut dans le ciel ! »

La Terre est à la bonne distance du Soleil. Elle peut profiter de sa chaleur et de sa lumière.

Ce n'est pas le cas des autres planètes. Sur Mercure, il fait très chaud car cette planète est très près du Soleil. Sur Neptune, il fait très froid car elle est très loin !

Neptune

Uranus

Saturne

Jupiter

Mais Icare n'obéit pas. Il se rapprocha du Soleil, la cire fondit, ses ailes se détachèrent, et il disparut dans la mer.

PARTIE 2

Le Soleil joue à cache-cache !

Ce que l'on voit :
Pendant la journée, on a l'impression
que le Soleil se déplace dans le ciel.

À midi, il est tout
en haut.

Il monte petit à petit
dans le ciel.

Le matin, le Soleil
apparaît à l'horizon.
On dit qu'il se lève.
La journée commence.

Ce qu'il se passe en réalité :
En fait, le Soleil n'a pas bougé. C'est la Terre qui tourne sur elle-même comme une toupie. Chaque partie de la Terre est donc éclairée quand elle est face au Soleil : c'est le jour.

Le Soleil éclaire la Terre.

À cet endroit de la Terre, c'est le jour.

À cet endroit de la Terre, c'est la nuit.

Puis il redescend.

Le soir, il disparaît à l'horizon. On dit qu'il se couche. C'est la nuit.

Le mot « tournesol » veut dire « tourner avec le Soleil ». La fleur se tourne vers le Soleil et le suit pour avoir de la lumière toute la journée !

Vive le Soleil !

On a besoin du Soleil pour vivre !

C'est la lumière et la chaleur
du Soleil qui font pousser
les arbres et les plantes,
mûrir les fruits
et les légumes !

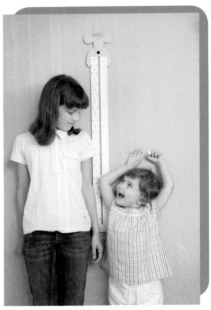

Le Soleil permet à ton corps
de fabriquer de la vitamine D
qui aide tes os à durcir
et à grandir.

Le Soleil permet de produire
de l'électricité pour chauffer
et éclairer des maisons.

Gare au Soleil !

Mais le Soleil peut aussi être très dangereux pour notre santé.

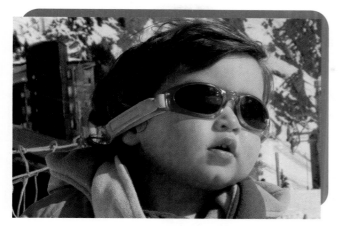

Il peut brûler tes yeux.
Ne regarde jamais le Soleil
en face. Mets des lunettes
de soleil quand la lumière
est trop vive à la mer,
ou à la montagne
quand il y a de la neige.

DANS LE NORD AUSSI,
LE SOLEIL BRÛLE...
AYEZ LES BONS RÉFLEXES !

NON
AUX MÉFAITS
DU SOLEIL

LE DÉPARTEMENT DU NORD VOUS AIDE À PRÉSERVER VOTRE SANTÉ

Il peut brûler ta peau.
Ne t'expose jamais trop
longtemps au Soleil et
protège-toi avec de la crème.
Sinon, tu auras des coups
de soleil…

La chaleur du Soleil te fait
transpirer : tu perds l'eau
dont ton corps a besoin.
N'oublie pas de boire !

x ➜ une galaxie   ∞ ➜ *une galaxie*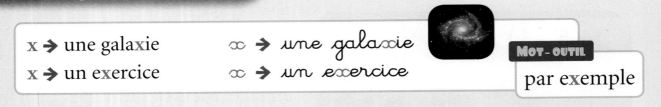

x ➜ un exercice   ∞ ➜ *un exercice*

MOT-OUTIL

par exemple

1 Écoute la comptine.

Il est vexé !
il veut,
il exige
d'exquises excuses.

2 Écoute les phrases et regarde les mots. Répète les mots où tu entends le son [ks] ou [gz].

- Les scientifiques examinent le ciel pour observer les astres, par exemple le Soleil et les autres étoiles de la galaxie.

- *S'il existait des extraterrestres, ce serait extraordinaire de les rencontrer !*

3 Lis tout seul.

- un texte ● le luxe ● la boxe ● un axe ● il le fixe ● il se vexe
- un taxi ● un boxeur ● une exposition ● un exemple ● un réflexe
  inexact ● excellent ● exister ● klaxonner ● expliquer ● exagérer
- Le maître exige que Xavier fasse ses exercices en dix minutes exactement.

🔊 Je vois x, mais je n'entends pas [ks] ou [gz] : les chevaux – dix.

Activités

Compréhension

1 Réponds aux questions sur la partie 1 du documentaire (pages 118 à 121).

1. Pourquoi le Soleil nous semble-t-il plus gros que les autres étoiles ?
2. Combien de planètes tournent autour du Soleil ?
3. À ton avis, les hommes pourraient-ils vivre sur Mercure ? Pourquoi ? Et sur Neptune ?
4. Aimes-tu regarder les étoiles ? Pourquoi ?

2 Explique avec tes propres mots.

1. La Terre et sept autres planètes forment le système solaire.
2. La Terre est à la bonne distance du Soleil.

Lecture

3 Lis le texte.

Le Soleil est une étoile. C'est une énorme boule de gaz. Huit planètes très différentes tournent autour de lui : elles forment le système solaire.

Vocabulaire

4 Qu'ont inventé les hommes pour étudier l'espace ?

 une planète
 un télescope
 une station spatiale
 une galaxie

 un microscope
 une étoile
 un observatoire
 une fusée

5 Classe ces planètes dans l'ordre alphabétique.

 Mercure
 Vénus
 Saturne
 Terre
 Jupiter

Des sons et des lettres

h   H
h   *H*

h ➔ un homme   *h ➔ un homme*

MOT-OUTIL

dehors

1 Écoute la comptine.

> C'est l'histoire
> d'un hibou ahuri
> qui hulule
> dans l'herbe haute.

2 Lis les phrases et regarde les mots. Répète les mots où le h ne se prononce pas.

- Quand il fait trop chaud dehors, il ne faut pas hésiter à boire beaucoup d'eau.

- *En hiver, le Soleil se lève vers huit heures chaque matin.*

3 Lis tout seul.

- l'heure ● l'herbe ● l'huître ● la hache ● la hotte ● la halle du thé ● du thon ● un rhume ● haute ● hors ● il trahit

- l'hiver ● l'histoire ● l'horizon ● le hérisson ● le hibou l'orthographe ● le rythme ● elle hésite ● il souhaite

- Théo a horreur des histoires de châteaux hantés qui lui font faire d'horribles cauchemars.

Je vois **h**, j'entends le son [ʃ] : un chapeau.
Je vois **h**, j'entends le son [f] : un phare.

128

Activités

Compréhension

1 Réponds aux questions sur la partie 2 du documentaire (pages 122 à 125).

1. Fait-il jour en même temps sur toute la Terre ? Pourquoi ?
2. Pourquoi a-t-on besoin du Soleil ?
3. Pourquoi le Soleil peut-il être dangereux ?
4. Que faut-il faire pour se protéger du Soleil ?
5. Et toi, préfères-tu la chaleur ou le froid ? Pourquoi ?

2 Explique avec tes propres mots.

1. Le soir, le Soleil disparaît à l'horizon.
2. Tu auras des coups de soleil si tu t'exposes trop longtemps au Soleil.

Lecture

3 Lis le texte.

Pendant la journée, on voit le Soleil se déplacer dans le ciel.
En fait, il ne bouge pas. C'est la Terre qui tourne sur elle-même.
Le Soleil est très important pour la vie sur Terre : il fait pousser
les plantes et il aide ton corps à grandir.
Mais, attention, il peut aussi brûler ta peau et tes yeux !

Étude de la langue

4 Trouve la maison de chaque phrase.

1. Le Soleil se lèvera à sept heures.
2. Il fait beau.
3. Le Soleil était brûlant.

hier   aujourd'hui   demain

5 Dans le passé, dans le présent ou dans le futur ? Dis quand ça se passe.

1. Dans quelques années, on ira sur d'autres planètes.
2. Je mets mes lunettes de soleil car la lumière est vive aujourd'hui.
3. Dans deux heures, il fera nuit.
4. Hier, il faisait très chaud et je me suis baignée.

Activités

Compréhension

1 **Réponds aux questions sur l'ensemble du documentaire.**

1. En plus de la planète Terre, quelles sont les autres planètes du système solaire ?

2. Souviens-toi de l'histoire *Les grasses matinées du Soleil* : grâce au documentaire que tu viens de lire, explique pourquoi cette histoire ne peut pas être vraie.

2 **Et toi, qu'en penses-tu ?**

1. Aimerais-tu aller sur une autre planète ? Pourquoi ?

2. Que connais-tu d'autre sur l'espace et sur le Soleil ?

3 **Vrai ou faux ?**

1. Le Soleil est une boule d'eau.

2. Le Soleil tourne autour de la Terre.

3. La Terre tourne sur elle-même comme une toupie.

4. Huit planètes tournent autour du Soleil.

5. La Terre fait le tour du Soleil en une année.

6. La chaleur du Soleil fait transpirer.

7. On peut rester longtemps au Soleil sans danger.

8. Le Soleil ne sert à rien sur Terre.

4 **Dis à quel moment de la journée correspond chaque phrase.**

le matin	le midi	le soir

1. Le Soleil disparaît à l'horizon.

2. Le Soleil se couche.

3. Le Soleil est haut dans le ciel.

4. Le Soleil se lève.

5. Le Soleil apparaît à l'horizon.

Compréhension

1 Dans quel texte pourrait-on lire chacune de ces phrases ?

1. Monsieur Soleil dit : « J'ai trop chaud ! »
2. Le Soleil réchauffe et éclaire notre planète.
3. Ne regarde pas le Soleil en face : il est timide et ça le fait rougir.
4. Mercure est la planète la plus proche du Soleil.
5. Tous les matins, le Soleil étire ses rayons avant de déjeuner.

Vocabulaire

2 Retrouve les mots qui se prononcent de la même manière.

un verre la colle la mer cent

le col la mère un ver le sang

3 Que remarques-tu dans ces phrases ?

1. À la fin du repas, je n'aurai plus faim.
2. Il a pris un coup de soleil dans le cou.
3. Le car partira à huit heures moins le quart.
4. L'eau de la cascade tombe de très haut.

L'atelier des mots

1 Écoute la comptine.

Une planète incroyable !

Mercure est inhabitable !
Son air est irrespirable !
Mais c'est involontairement
que, trop près du Soleil,
elle tourne indéfiniment.

2 Trouve les mots qui correspondent aux dessins.

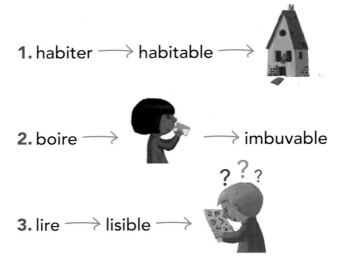

1. habiter ⟶ habitable ⟶

2. boire ⟶ ⟶ imbuvable

3. lire ⟶ lisible ⟶

3 Avec les mots de la liste, forme de nouveaux mots en prenant des éléments dans les boîtes orange et bleue. Invente des phrases avec les mots que tu as formés.

poli ● trouver ● correct ● coller ● lire ● voir

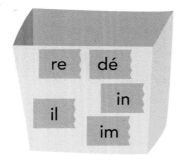

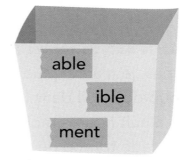

re dé in il im

able ible ment

1 **Lis tout seul les mots.**

- l'huile ● la harpe ● la haie ● la honte ● la hyène ● la haine
  le houx ● une halte ● un texte ● la boxe ● huit ● haute
  il mixe ● elle se vexe ● il le hait ● elle a hâte ● il hurle
- le harpon ● un hachis ● un husky ● un théâtre ● un cahier
  la compréhension ● un xylophone ● l'extérieur ● une explication
  hier ● maximum ● examiner ● exagérer ● hanter ● il s'habille

2 **Lis tout seul les phrases.**

- Le boxeur a hâte que l'hiver finisse pour s'exercer à l'extérieur.
- Tout à l'heure, le maître expliquera l'exercice du cahier.

3 **Lis tout seul un nouveau texte.**

Le hérisson habite dans les haies et dans les prairies humides.
Il hiberne dans un nid d'herbes et de feuilles. Quand il part
explorer les alentours, il s'arrête souvent pour humer l'air :
son odorat est excellent.

4 **Forme des mots en prenant une syllabe dans la boîte orange
et une syllabe dans la boîte bleue.**

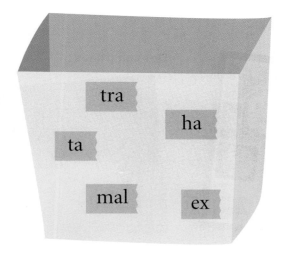

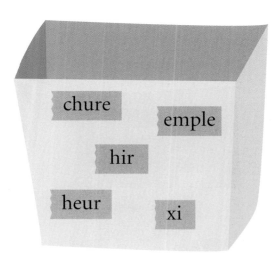

tra ha ta mal ex

chure emple hir heur xi

133

Le jeu des planètes

Au centre de notre galaxie
Est un énorme astre de feu.

Huit planètes tournent autour de lui
Comme s'il s'agissait d'un jeu.

Mais c'est très sérieux
Car parmi ces planètes
Que le Soleil éclaire,
L'une tient la vedette,
C'est notre Terre !

Tourne la Terre

Autrefois, on croyait
Que le Soleil tournait
Tout autour de la Terre.

Galilée démontra
Que c'était le contraire,
Mais on ne le crut pas.

Il avait pourtant raison,
C'est bien nous qui tournons !

Crème – lunettes – chapeau

Il fait beau et il est fait chaud,
Crème – chapeau – lunettes,
Le Soleil brûle ma peau,
Crème – lunettes – chapeau.

On fait un tour en bateau,
Polo – chapeau – lunettes,
Si le Soleil est très haut,
Chapeau – lunettes – polo.

Sur la montagne enneigée,
Crème – bonnet – lunettes,
On est montés pour skier,
Crème – lunettes – bonnet.

Ainsi quand arrive l'été,
Crème – chapeau – lunettes,
Si le Soleil montre son nez,
Il faut bien se protéger.

Corinne Albaut,
Comptines pour apprivoiser le Soleil,
© Actes sud junior, 1999.

Des documentaires :

Des comptines :

L'espace,
coll. « Kididoc »,
Nathan.

Émilie Beaumont et Marie-Renée
Pimont, *L'imagerie de l'espace,*
Fleurus.

Corinne Albaut,
*Comptines pour apprivois…
le Soleil,* Auvidis jeunesse.

Les mots-référents

Les mots-référents sont présentés dans l'ordre des unités.

b B   *b B*

une **b**icyclette

une bicyclette

s S   *s S*

une **s**onnette

une sonnette

ss   *ss*

des chau**ss**ures

des chaussures

c C   *c C*

un **c**ycliste

un cycliste

ç   *ç*

un gar**ç**on

un garçon

è   *è*

un si**è**ge

un siège

Les mots-référents

e / e
une selle
une selle

ai / ai
un balai
un balai

in / in
un pinceau
un pinceau

un / un
le lundi
le lundi

ain / ain
une main
une main

ein / ein
la peinture
la peinture

Les mots-référents

v V *v V*	ch *ch*
une **v**oiture	un **ch**eval
une voiture	*un cheval*

an *an*	en *en*
un catamar**an**	une dilig**en**ce
un catamaran	*une diligence*

am *am*	em *em*
la c**am**pagne	la t**em**pête
la campagne	*la tempête*

Les mots-référents

f F *f F*

une **f**usée

une fusée

ph *ph*

un **ph**are

un phare

j J *j J*

un **j**on**j**on

un donjon

g G *g G*

une bou**g**ie

une bougie

ge *ge*

un pi**ge**on

un pigeon

oi *oi*

un petit p**oi**s

un petit pois

Les mots-référents

oin *oin*

un c**oin**

un c**oin**

g G *g G*

les **g**riffes

les **g**riffes

gu *gu*

la **gu**eule

la **gu**eule

gn *gn*

la monta**gn**e

la monta**gn**e

s S *s S*

un oi**s**eau

un oi**s**eau

z Z *z Z*

quin**z**e

quin**z**e

15

Les mots-référents

ill *ill*	ill *ill*
un caillou 	une fille 
un caillou	*une fille*

il *il*	y *y*
le Soleil 	un rayon 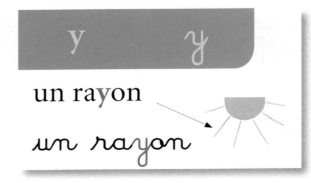
le Soleil	*un rayon*

i *i*	x X *x X*
le ciel 	une galaxie 
le ciel	*une galaxie*

x X *x X*	h H *h H*
un exercice	un homme 
un exercice	*un homme*

Les mots-outils

Les mots-outils sont présentés dans l'ordre des unités.

b bien	**ss** aussi	**ç** ça
è très	**ai** mais	**in** enfin
ain demain	**v** vers	**ch** chaque
en an pendant	**em** longtemps	**f** sauf

Les mots-outils

j — jamais

oi — parfois

oin — au moins

g — grâce à

gn — soigneusement

s — à cause de

ill — ailleurs

i — combien

x — par exemple

h — dehors

Crédits photographiques

p. 29 (bas gauche) : THE PICTURE DESK / Dagli-Orti ; **p. 29 (droite)** : COSMOS / SPL ; **p. 29 (haut gauche)** : AKG Images ; **p. 29 (haut milieu)** : KHARBINE-TAPABOR / coll. Jean Vigne ; **p. 30 (bas)** : KHARBINE-TAPABOR / coll. Jean Vigne ; **p. 30 (haut)** : BNF ; **p. 31 (bas)** : KHARBINE-TAPABOR / coll. Jean Vigne ; **p. 31 (haut)** : AKG Images ; **p. 32 (haut)** : BNF ; **p. 33 (bas)** : LEEMAGE / Photo Josse ; **p. 33 (haut)** : RUE DES ARCHIVES ; **p. 35 (bas)** : CORBIS / Museum of fight ; **p. 36 (bas)** : Droits Réservés ; **p. 36 (haut)** : FOTOLIA / Eray ; **p. 37 (haut droite)** : MAXPPP / Max Rosereau ; **p. 37 (haut gauche)** : FOTOLIA / Bertrand Chavin ; **p. 37 (milieu)** : FOTOLIA / Milphoto ; **p. 75** : CORBIS ; **p. 76 (bas)** : MINDEN Pictures / Konrad Woth ; **p. 76 (haut)** : MINDEN Pictures / Jim Brandenburg ; **p. 78 (bas)** : CORBIS ; **p. 78 (haut)** : CORBIS ; **p. 79 (bas)** : BNF ; **p. 80** : CORBIS ; **p. 81 (bas)** : ANDIA PRESSE / Widife ; **p. 107 (haut gauche)** : *Les Zinzins de l'espace*, BLASTER et Olivier Jean-Marie © Casterman ; **p. 107 (haut droite)** : COSMOS / Novosti ; **p. 107 (haut milieu)** : CHRISTOPHE L. ; **p. 107 (bas gauche)** : CHRISTOPHE L. ; **p. 107 (bas droite)** : CORBIS / Destination ; **p. 107 (bas milieu)** : Corbis Bettman ; **p. 117** : AFP ; **p. 118** : FOTOLIA / Noel Powell ; **p. 119** : BIS / Ph. © ESA / SOHO-EIT-Archives Larbor ; **p. 120 (droite)** : Nasa ; **p. 120 (gauche)** : NOVAPIX / USCG ; **p. 120 (milieu droite)** : ARCHIVES NATHAN ; **p. 120 (milieu gauche)** : Nasa ; **p. 121 (droite)** : NASA ; **p. 121 (gauche)** : NASA ; **p. 121 (milieu droite)** : CIEL ET ESPACE / Nasa ; **p. 121 (milieu gauche)** : CIEL ET ESPACE / Nasa ; **p. 123 (bas)** : CORBIS / Bernardo Gimenez ; **p. 123 (haut)** : GAMMA RAPHO / Hoa-qui / Planet Observer ; **p. 124 (bas)** : ANDIA PRESSE / Thiriet ; **p. 124 (haut)** : AGE FOTOSTOCK / Yogesh S. More ; **p. 124 (milieu)** : BSIP / Rafal Strzechowski ; **p. 125 (bas)** : SAGAPHOTO.com / Patrick Forget ; **p. 125 (haut)** : AGOSTINO PACCIANI ; **p. 125 (milieu)** : Droits réservés.

Illustrateurs

Vanessa Gautier : p. 16, 19, 20, 24, 25 (bas), 26, 27, 38, 39, 40, 42, 43, 44, 45, 46, 47, 48 (bas), 49, 64, 66, 67, 68, 72, 82, 83, 84, 85, 88, 89, 106, 107, 108, 110, 113, 114, 115, 127, 128, 131, 132, 133.

Pascal Lemaître : p. 120, 121, 122, 123, 130.

Jean-Christophe Raufflet : p. 32 (bas), 41.

Armel Ressot : p. 14, 15, 17, 18, 20, 21, 25 (haut), 39, 48 (milieu), 73.

Matthieu Roussel : couverture (haut).

Rémi Saillard : p. 77, 79 (haut).

Eugénie Varone : p. 64, 65, 71.

Les illustrations des comptines ont été réalisées par **Christian Maréchal** (Killiwatch).

Crédits textes

À pied, à cheval et en voiture : Jean Emile Gombert, Pascale Colé, Jacques Desvignes, Annette Gaberel, Janine Sonnet, Sylviane Valdois.

Le Soleil, notre étoile : Marie Masliah.

Conception graphique, mise en pages et couverture : **Killiwatch**

Polices cursives : **Paul-Luc Médard**

Iconographie : **Juliette Barjon**

Relecture : **Véronique Dussidour**

Coordination artistique : **Léa Verdun, Domitille Pasquesoone**

Coordination éditoriale : **Laurence Michaux**

Édition : **Anne Perez**

N° éditeur 10205746 - Avril 2014
Imprimé en Italie par Bona